4학년 1학기 · 2학기

HIGHTOP

하이탑 초등 과학

HIGHTOP
초등 과학의 구성과 특징

심화 → 1 창의 서술형 문제

초등의 중요 개념에서 확장된 창의적인 서술형 문제입니다.
수행평가는 물론 영재고 · 영재원 선발 시험까지 대비할 수 있도록 실력을 쌓을 수 있습니다.

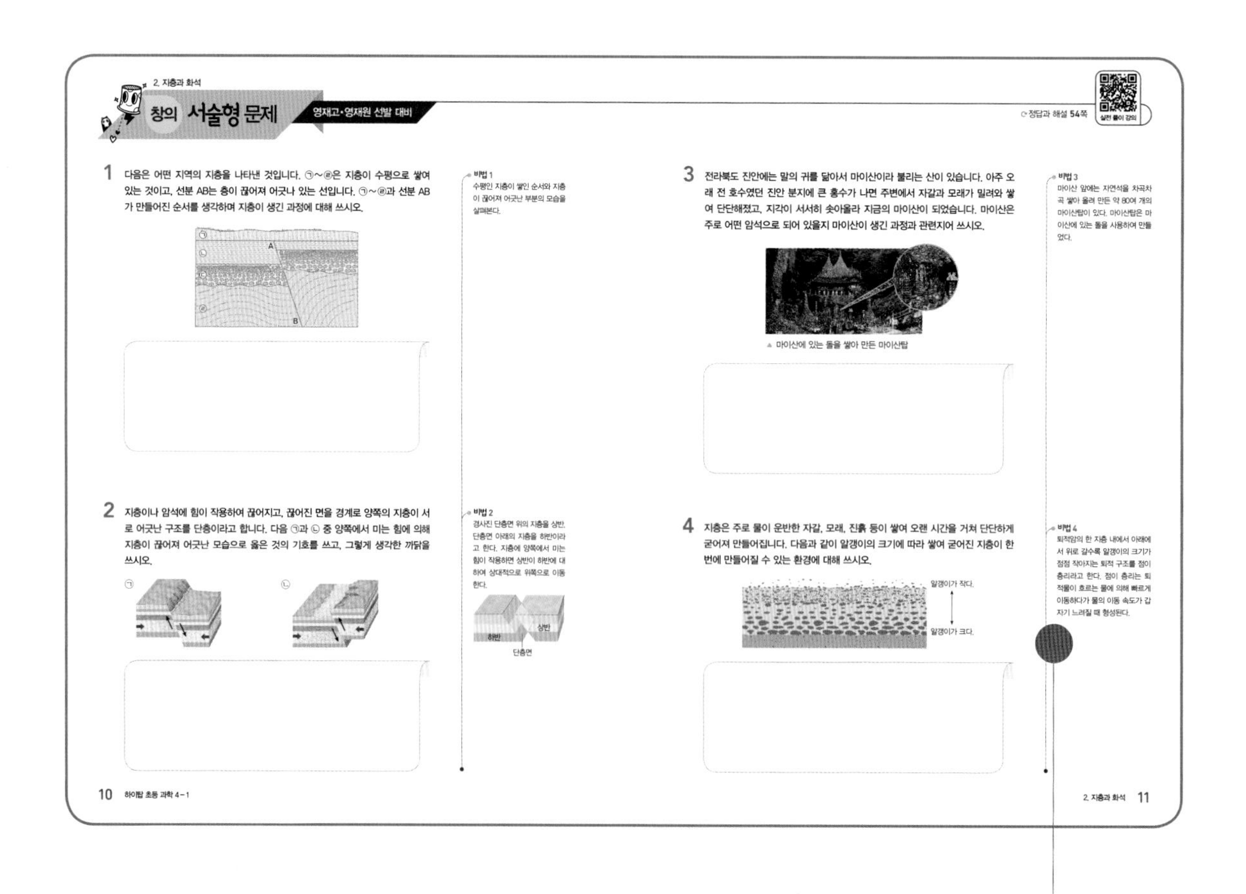

2. 지층과 화석

창의 서술형 문제 영재고·영재원 선발 대비

정답과 해설 54쪽 실전 풀이 강의

1 다음은 어떤 지역의 지층을 나타낸 것입니다. ㉠~㉣은 지층이 수평으로 쌓여 있는 것이고, 선분 AB는 층이 끊어져 어긋나 있는 선입니다. ㉠~㉣과 선분 AB가 만들어진 순서를 생각하며 지층이 생긴 과정에 대해 쓰시오.

비법 1
수평인 지층이 쌓인 순서와 지층이 끊어져 어긋난 부분의 모습을 살펴본다.

2 지층이나 암석에 힘이 작용하여 끊어지고, 끊어진 면을 경계로 양쪽의 지층이 서로 어긋난 구조를 단층이라고 합니다. 다음 ㉠과 ㉡ 중 양쪽에서 미는 힘에 의해 지층이 끊어져 어긋난 모습으로 옳은 것의 기호를 쓰고, 그렇게 생각한 까닭을 쓰시오.

비법 2
경사진 단층면 위의 지층을 상반, 단층면 아래의 지층을 하반이라고 한다. 지층에 양쪽에서 미는 힘이 작용하면 상반이 하반에 대하여 상대적으로 위쪽으로 이동한다.

3 전라북도 진안에는 말의 귀를 닮아서 마이산이라 불리는 산이 있습니다. 아주 오래 전 호수였던 진안 분지에 큰 홍수가 나면 주변에서 자갈과 모래가 밀려와 쌓여 단단해졌고, 지각이 서서히 솟아올라 지금의 마이산이 되었습니다. 마이산은 주로 어떤 암석으로 되어 있을지 마이산이 생긴 과정과 관련지어 쓰시오.

▲ 마이산에 있는 돌을 쌓아 만든 마이산탑

비법 3
마이산 앞에는 자연석을 차곡차곡 쌓아 올려 만든 약 80여 개의 마이산탑이 있다. 마이산탑은 마이산에 있는 돌을 사용하여 만들었다.

4 지층은 주로 물이 운반한 자갈, 모래, 진흙 등이 쌓여 오랜 시간을 거쳐 단단하게 굳어져 만들어집니다. 다음과 같이 알갱이의 크기에 따라 쌓여 굳어진 지층이 한 번에 만들어질 수 있는 환경에 대해 쓰시오.

비법 4
퇴적암의 한 지층 내에서 아래에서 위로 갈수록 알갱이의 크기가 점점 작아지는 퇴적 구조를 점이 층리라고 한다. 점이 층리는 퇴적물이 흐르는 물에 의해 빠르게 이동하다가 물의 이동 속도가 갑자기 느려질 때 형성된다.

10 하이탑 초등 과학 4-1

2. 지층과 화석 11

비법
서술형 문제가 어렵게 느껴지나요?
비법을 읽어 보면 문제의
핵심 TIP을 얻을 수 있어요.

무료 스마트러닝
• 2권 심화 문제 풀이 강의

“

과학 고수가 되는 길!

초등부터 HIGHTOP(하이탑)과 함께라면
과학 공부 어렵지 않아요.

”

2 과학 탐구 대회

과학 탐구 대회는 탐구 보고서 작성, 과학 토론 대회, 발명품 경진 대회의 세 가지 유형을 준비와 실전 단계로 구성하였습니다. 교과서 단원에 맞는 창의적인 주제와 참고 자료, 예시 답안을 보면서 각각의 대회 및 입시를 대비할 수 있습니다.

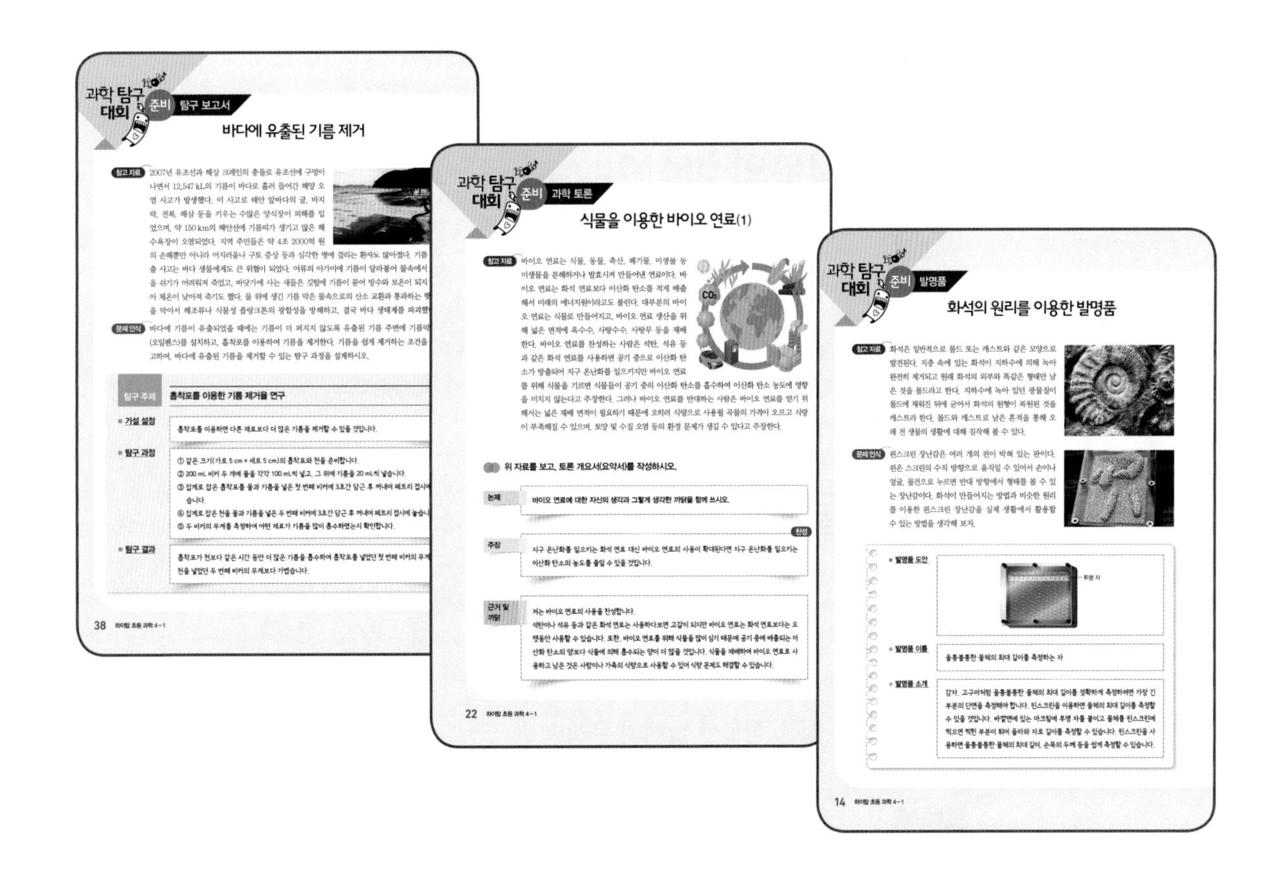

탐구 보고서 실험을 통해 얻은 정보와 지식, 실험 결과를 보고서로 정리합니다.

과학 토론 문제 상황을 과학적으로 분석하고 다양한 해결 방안을 창의적으로 생각합니다.

발명품 창의적인 아이디어를 구체화하는 과정을 통해 문제 해결 능력을 향상시킵니다.

HIGHTOP

초등 과학의 차례 심화

1학기

2학기

HIGHTOP

과학 탐구 대회 준비를 위한 안내

과학 탐구 보고서란?

탐구 보고서는 특정 분야의 과학 탐구 실험을 실행하고 그 과정과 결과를 작성한 보고서를 말합니다. 따라서 탐구 보고서를 쓸 때에는 어떤 동기에 의해 실험을 진행하였고, 또 실험 과정을 통해 어떤 결과를 얻었는지를 구체적으로 정리하는 것이 중요합니다.

먼저 탐구 실험은 하나의 주제에 대해 여러 가지 방법으로 진행하고, 검증하는 것이 좋습니다. 그래야 과학적 원리를 더 쉽게 알아낼 수 있기 때문이지요. 탐구 실험을 마친 후에는 탐구 내용과 다양한 참고 자료, 사진, 결과에 대한 그래프 등을 탐구 보고서에 함께 기록하면 됩니다.

과학 탐구 보고서 작성 핵심 TIP!

과학 탐구 보고서

탐구 주제		날짜	
		작성자	
탐구 목표			
탐구 방법			
탐구 결과			
결론			

탐구 주제는 정확하게!

탐구 주제는 되도록 간결하고 정확하게 작성합니다. 특히 보고서의 키워드를 반드시 포함시켜야 합니다.

탐구 목표는 명확하게!

스스로 탐구를 진행할 수 있는 목표를 설정해야 합니다. 목표는 두루뭉술하지 않게, 명확하게 작성합니다.

탐구 방법은 다양하게!

내가 설정한 주제에 맞게 관찰, 측정, 분류, 조사 등의 다양한 탐구 방법을 활용합니다.

탐구 결과는 사실 그대로!

탐구 활동의 결과는 사실 그대로 작성 후, 과학적이고 객관적인 분석을 통해 결론을 내립니다.

과학 토론이란?

과학 토론은 실생활 및 미래에 발생할 문제 상황을 과학적으로 분석하고, 창의적 해결 방안을 찾아보는 활동입니다. 토의나 토론 과정을 통해 과학적 의사소통을 하는 것이지요.
과학 탐구 대회에서 과학 토론은, 토론 논제가 주어지고 논제와 관련된 자료를 찾고, 토론 개요서를 작성하는 순서로 진행됩니다. 이때 토론 개요서는 크게 두 부분으로 작성합니다. 첫 번째는 자료를 간단하게 요약하고 정리하는 것이고, 두 번째는 토론 논제에 해당하는 창의적 문제 해결 방법을 기록하는 것입니다. 실제 과학 토론 대회에서는 대부분 자신의 토론 개요서를 발표하고, 질문에 대해 답변하는 과정으로 진행됩니다.

과학 토론의 심사 기준 및 배점(예)

심사 영역	심사 기준	배점
토론 개요서	정보 수집 · 처리 능력을 바탕으로 과학적, 창의적인 관점으로 문제 해결 방안을 위한 토론 자료를 작성하였는가?	10
과학적 문제 해결력	논제에 나타난 문제의 원인 분석, 탐구 과정, 대안 제시가 과학적으로 이루어졌는가?	30
창의적 사고력	논제의 쟁점에 대한 과학적이고 합리적인 대안을 제시하였는가?	20
논리적 발표력	논제의 해결을 위해 논리적으로 내용을 구성하고 타당한 주장과 근거를 들어 발표하였는가?	30
발표 태도	올바른 발표 태도로 논제의 관점에 맞게 효과적으로 발표하였는가?	10
총점		100

과학 발명품 경진 대회는 과학적 사고와 창의적 발명을 활용하여 이용 가치가 있는 발명품을 직접 만드는 대회입니다. 이때 발명품이 '창조성'과 '발전 가능성'이 있는지를 평가 받습니다.
새로운 발명품을 만들기 위해서는 내가 생각한 아이디어가 누군가의 발명품과 비슷한 것은 아닌지 확인하는 과정부터 거쳐야 합니다. 관련 홈페이지에서 기존에 특허가 진행된 목록이나 발명품 경진 대회를 통해 이미 제출된 발명품을 확인할 수 있으니 참고하는 것이 좋습니다.

참고 사이트 과학전시관(서울) ssp.sen.go.kr | 특허정보검색서비스 kipris.or.kr

또 발전 가능성 있는 발명품은 쉽게 생각할 수 있는 아이디어로, 과학 기술의 발달에 따라 우리 생활에 얼마나 편리함을 주는지를 고려해서 만들어야 합니다.

1 학기

지층과 화석

• 창의 서술형 문제

• 과학 탐구 대회

발명품

준비 화석의 원리를 이용한 발명품

실전 일정한 모양의 틀을 이용한 발명품

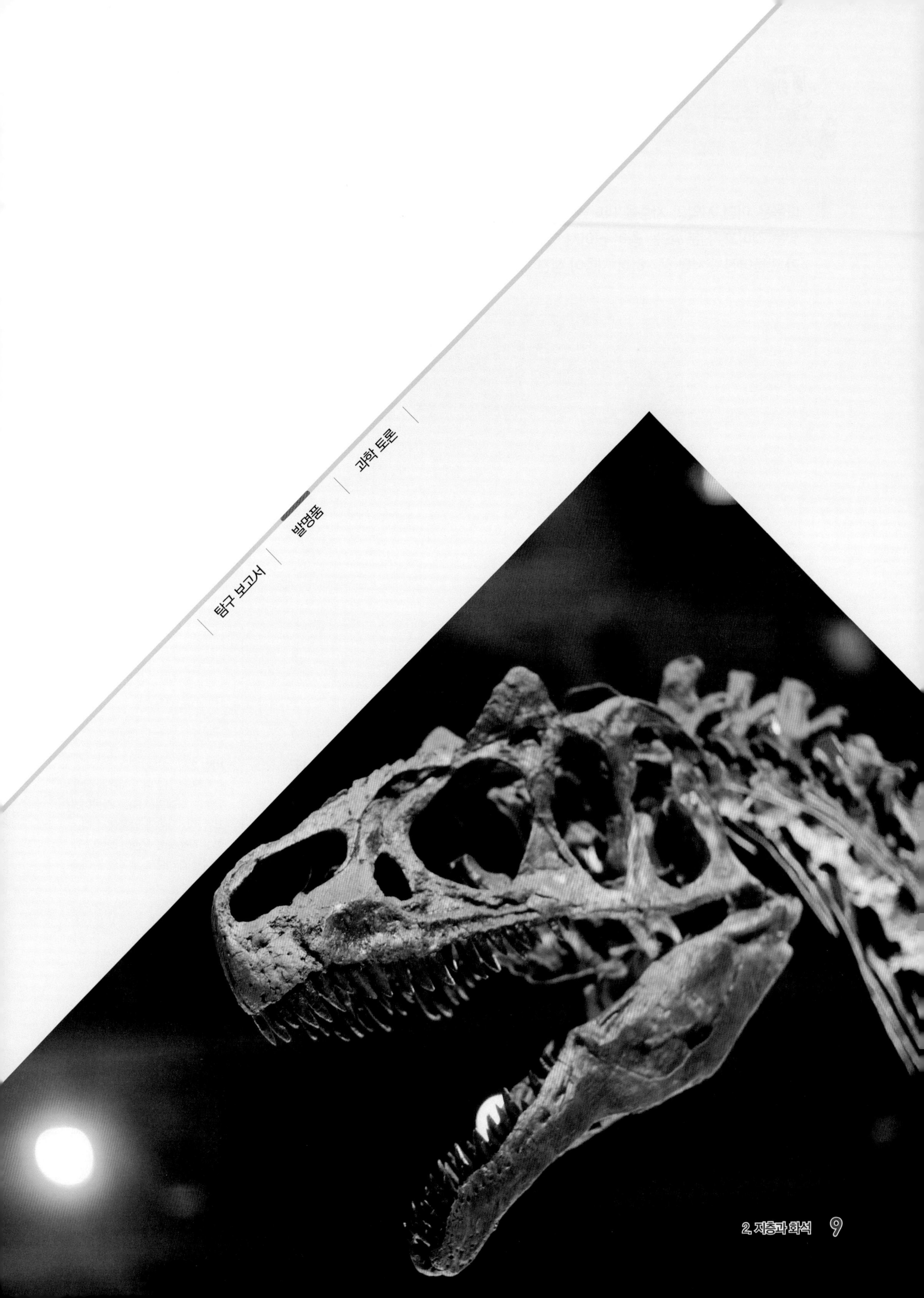
탐구 보고서
발명품
과학 토론

창의 서술형 문제

영재고·영재원 선발 대비

1 다음은 어떤 지역의 지층을 나타낸 것입니다. ㉠~㉣은 지층이 수평으로 쌓여 있는 것이고, 선분 AB는 층이 끊어져 어긋나 있는 선입니다. ㉠~㉣과 선분 AB가 만들어진 순서를 생각하며 지층이 생긴 과정에 대해 쓰시오.

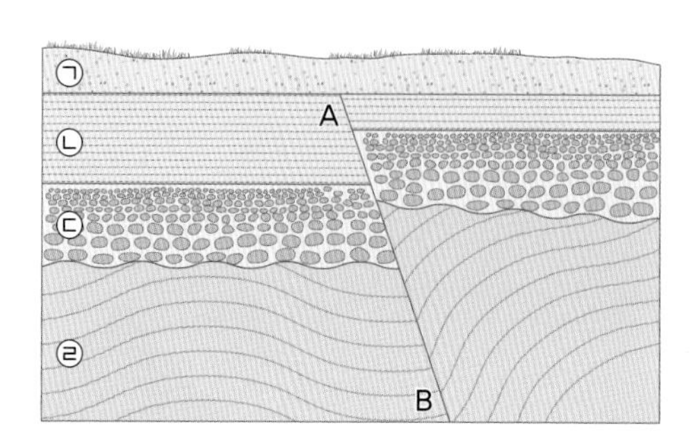

비법 1
수평인 지층이 쌓인 순서와 지층이 끊어져 어긋난 부분의 모습을 살펴본다.

2 지층이나 암석에 힘이 작용하여 끊어지고, 끊어진 면을 경계로 양쪽의 지층이 서로 어긋난 구조를 단층이라고 합니다. 다음 ㉠과 ㉡ 중 양쪽에서 미는 힘에 의해 지층이 끊어져 어긋난 모습으로 옳은 것의 기호를 쓰고, 그렇게 생각한 까닭을 쓰시오.

㉠

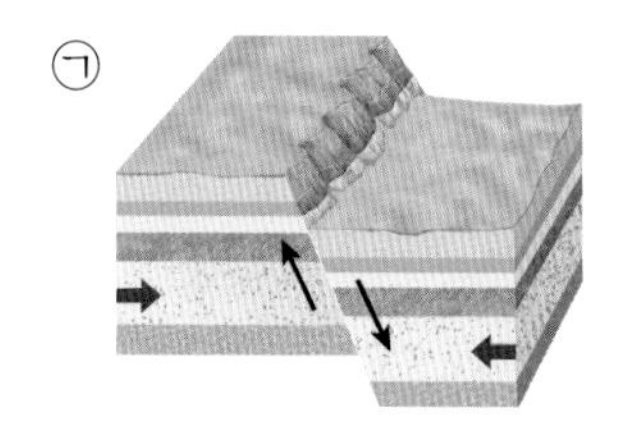

㉡

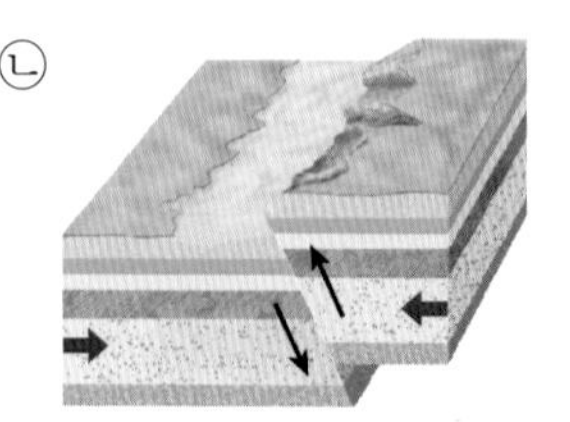

비법 2
경사진 단층면 위의 지층을 상반, 단층면 아래의 지층을 하반이라고 한다. 지층에 양쪽에서 미는 힘이 작용하면 상반이 하반에 대하여 상대적으로 위쪽으로 이동한다.

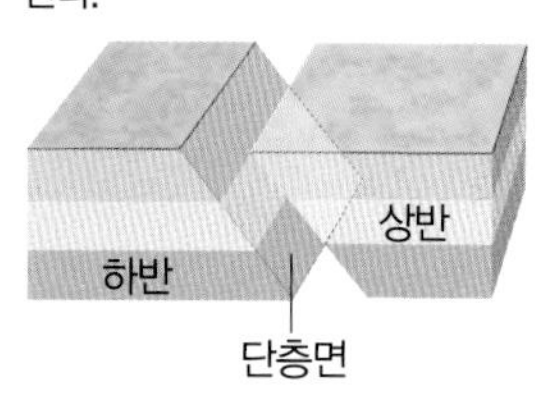

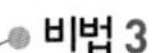
정답과 해설 54쪽

3 전라북도 진안에는 말의 귀를 닮아서 마이산이라 불리는 산이 있습니다. 아주 오래 전 호수였던 진안 분지에 큰 홍수가 나면 주변에서 자갈과 모래가 밀려와 쌓여 단단해졌고, 지각이 서서히 솟아올라 지금의 마이산이 되었습니다. 마이산은 주로 어떤 암석으로 되어 있을지 마이산이 생긴 과정과 관련지어 쓰시오.

▲ 마이산에 있는 돌을 쌓아 만든 마이산탑

비법 3
마이산 앞에는 자연석을 차곡차곡 쌓아 올려 만든 약 80여 개의 마이산탑이 있다. 마이산탑은 마이산에 있는 돌을 사용하여 만들었다.

4 지층은 주로 물이 운반한 자갈, 모래, 진흙 등이 쌓여 오랜 시간을 거쳐 단단하게 굳어져 만들어집니다. 다음과 같이 알갱이의 크기에 따라 쌓여 굳어진 지층이 한 번에 만들어질 수 있는 환경에 대해 쓰시오.

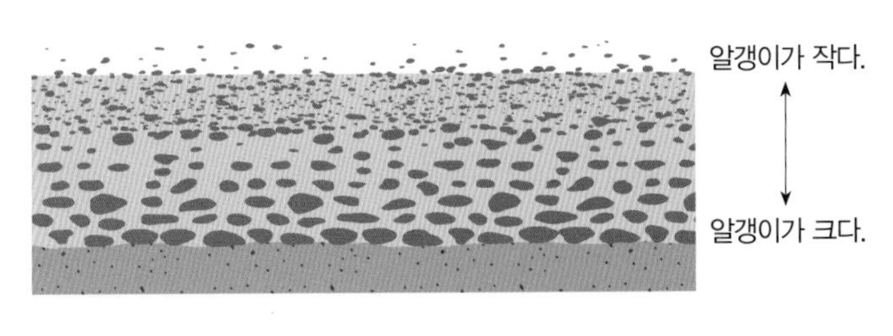

비법 4
퇴적암의 한 지층 내에서 아래에서 위로 갈수록 알갱이의 크기가 점점 작아지는 퇴적 구조를 점이 층리라고 한다. 점이 층리는 퇴적물이 흐르는 물에 의해 빠르게 이동하다가 물의 이동 속도가 갑자기 느려질 때 형성된다.

창의 서술형 문제

영재고·영재원 선발 대비

5 다음은 주아가 자연사 박물관에 다녀와서 쓴 일기입니다. 주아가 궁금해 하는 밑줄 친 부분에 대해 주아에게 어떻게 설명할 수 있을지 쓰시오.

> 오늘 자연사 박물관에서 공룡의 위석 화석을 봤다. 위석은 공룡의 위에서 발견되는 돌이라고 해서 '위석'이라는 이름이 붙었다. 위석은 공룡의 위 속에 머물면서 거친 나뭇잎을 곱게 갈아 소화되기 쉽게 만들었다. 삼킨 돌이 왜 화석인지 궁금했다. 박물관 2층에서 공룡알 화석도 봤다. 공룡알 화석은 크기가 꽤 크고 껍질은 깨져 있었다. 공룡으로 태어나지 않은 알껍데기도 정말 화석이라고 할 수 있는 걸까?

비법 5
화석은 옛날에 살았던 생물의 몸체와 생물이 생활한 흔적이 암석이나 지층 속에 남아 있는 것이다.

6 다음은 근처의 세 지역 (가)~(다) 지층의 단면과 각 지층에서 발굴된 화석을 나타낸 것입니다. 각 지역의 지층에 대한 설명으로 잘못된 것을 **보기**에서 골라 기호를 쓰고, 잘못된 까닭을 함께 쓰시오.

(가)
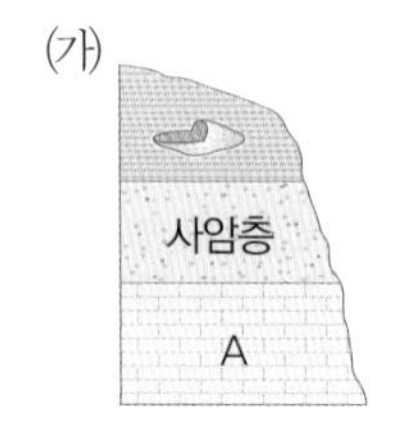

(나)
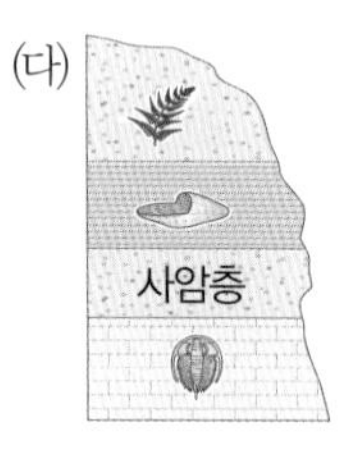

(다)
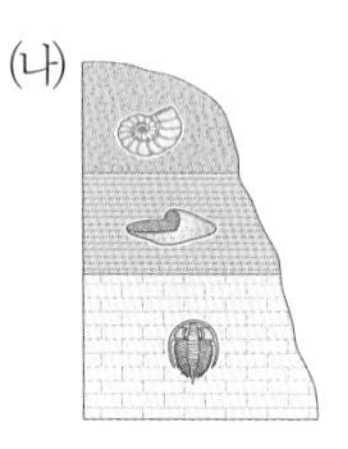

보기

㉠ (가) 지역의 A 지층에서는 고사리 화석이 나올 수 있다.
㉡ (나) 지역에는 오랫동안 퇴적이 중단된 시기가 있다.
㉢ (다) 지역에는 육지에서 퇴적된 지층이 존재한다.

비법 6
세 지역의 지층에서 공통적으로 발굴된 화석이 포함된 지층을 기준으로 지층이 만들어진 순서를 정리할 수 있다.

7 암모나이트는 바다에서 서식하던 동물로, 화석 형태로 보존되어 오늘날에 알려졌습니다. 달팽이 모양의 나선형 껍데기의 크기는 종류에 따라 지름이 2 cm~3 m로 다양하고 몸의 형태는 오징어류와 비슷하지만, 화석을 관찰해 보면 껍데기만 있고 몸의 형태는 거의 볼 수가 없습니다. 그 까닭은 무엇인지 쓰시오.

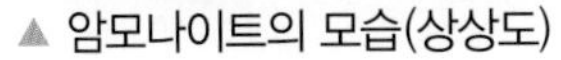

▲ 암모나이트의 모습(상상도)　　▲ 실제 암모나이트 화석

비법 7
암모나이트는 단단한 껍데기 속에 오징어와 같은 몸체가 있는 형태로 추정한다.

8 실제 화석이 만들어지기 위해서는 생물의 몸체 위에 퇴적물이 쌓이고, 생물의 몸체에 단단한 부분이 있어야 합니다. 다음의 알지네이트로 조개 화석 만들기 과정 중 어느 단계에서 이러한 조건들이 적용되었는지 비교하여 쓰시오.

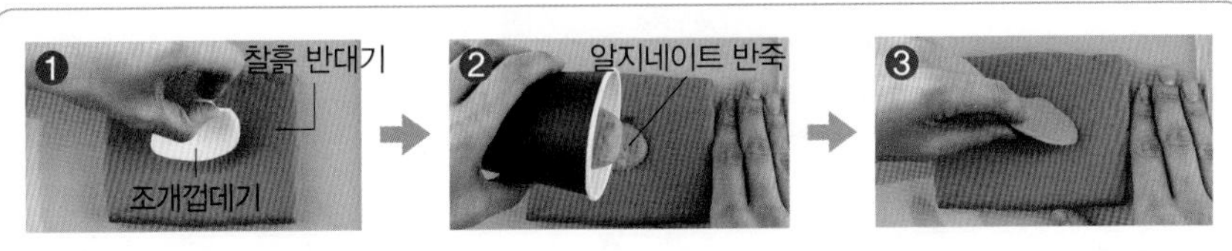

❶ 찰흙 반대기 위에 조개껍데기를 올려놓고 손으로 눌렀다가 떼어 낸다.
❷ 조개껍데기 자국이 모두 덮이도록 알지네이트 반죽을 붓는다.
❸ 알지네이트 반죽이 다 굳으면 화석 모형을 찰흙 반대기에서 떼어 낸다.

비법 8
화석이 잘 만들어지려면 단단한 껍질이나 골격이 있어야 하고 빠르게 땅에 묻혀야 한다.

화석의 원리를 이용한 발명품

참고 자료 화석은 일반적으로 몰드 또는 캐스트와 같은 모양으로 발견된다. 지층 속에 있는 화석이 지하수에 의해 녹아 완전히 제거되고 원래 화석의 외부와 똑같은 형태만 남은 것을 몰드라고 한다. 지하수에 녹아 있던 광물질이 몰드에 채워진 뒤에 굳어서 화석의 원형이 복원된 것을 캐스트라 한다. 몰드와 캐스트로 남은 흔적을 통해 오래전 생물의 생활에 대해 짐작해 볼 수 있다.

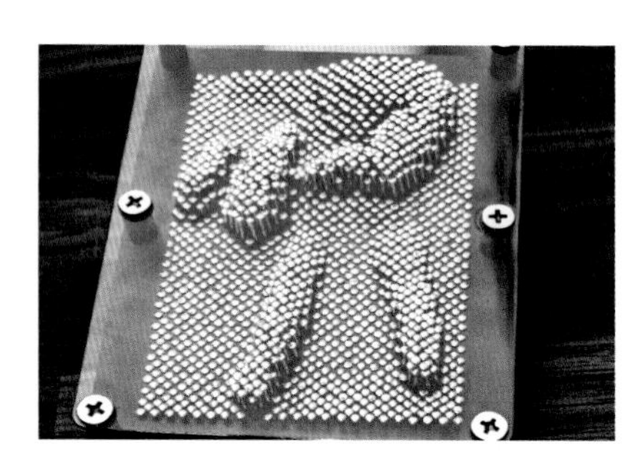

문제 인식 핀스크린 장난감은 여러 개의 핀이 박혀 있는 판이다. 핀은 스크린의 수직 방향으로 움직일 수 있어서 손이나 얼굴, 물건으로 누르면 반대 방향에서 형태를 볼 수 있는 장난감이다. 화석이 만들어지는 방법과 비슷한 원리를 이용한 핀스크린 장난감을 실제 생활에서 활용할 수 있는 방법을 생각해 보자.

● **발명품 도안**

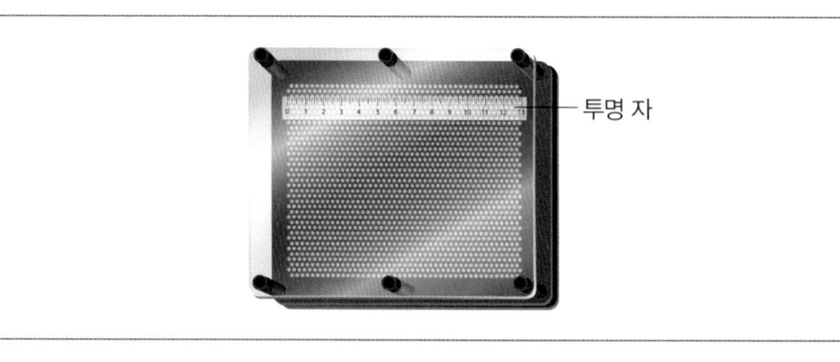

● **발명품 이름**

울퉁불퉁한 물체의 최대 길이를 측정하는 자

● **발명품 소개**

감자, 고구마처럼 울퉁불퉁한 물체의 최대 길이를 정확하게 측정하려면 가장 긴 부분의 단면을 측정해야 합니다. 핀스크린을 이용하면 물체의 최대 길이를 측정할 수 있을 것입니다. 바깥면에 있는 아크릴에 투명 자를 붙이고 물체를 핀스크린에 찍으면 찍힌 부분이 튀어 올라와 자로 길이를 측정할 수 있습니다. 핀스크린을 사용하면 울퉁불퉁한 물체의 최대 길이, 손목의 두께 등을 쉽게 측정할 수 있습니다.

정답과 해설 56쪽

일정한 모양의 틀을 이용한 발명품

참고 자료 수박은 둥근 모양이지만 네모 모양의 수박을 재배하는 곳이 있다. 네모 모양의 수박은 일반적인 수박에 비해 재배하는 데 긴 시간이 걸린다. 둥근 수박이 일정한 크기로 자라면 플라스틱이나 금속 물질로 만든 네모 모양의 틀에 넣고 약 10일 동안 자라면서 모양이 변하기를 기다린다. 적당한 크기로 자란 수박을 틀에서 빼내면 네모 모양의 수박이 만들어진다.

문제 인식 죽은 생물체가 퇴적물 속에 묻힌 후 생물의 몸체가 사라진 빈 공간이 채워지고 단단하게 굳어져 화석이 된다. 이처럼 일정한 모양의 틀에 맞춰서 만든 물체에 대해 생각해 보자.

- **발명품 도안**
- **발명품 이름**
- **발명품 소개**

1학기

3 식물의 한살이

- 창의 서술형 문제

- 과학 탐구 대회

과학 토론 준비 식물을 이용한 바이오 연료(1)

실전 식물을 이용한 바이오 연료(2)

탐구 보고서
발명품
과학 토론

창의 서술형 문제

영재고·영재원 선발 대비

1 과일 속에 있는 씨의 모양과 크기는 다양합니다. 열대 과일인 아보카도의 씨는 보통의 과일보다 크기가 큰 편입니다. 이처럼 열대 과일의 씨의 크기가 보통 과일의 씨보다 크기가 큰 까닭은 무엇일지 쓰시오.

비법 1
씨가 싹 트기 위해서는 배젖에 있는 양분이 필요하며, 이 양분으로 싹을 틔운 다음 스스로 양분을 만들 수 있을 때까지 버틴다.

2 씨 심는 방법에 대한 친구들의 대화 중 잘못 말한 두 친구의 이름을 쓰고, 각각 바르게 고쳐 쓰시오.

씨는 땅속에 있어서 물을 주면 공기가 잘 통하지 않아서 씨가 싹 틀 때까지 물을 주면 안 돼.

씨는 적당한 깊이에 심어야 해. 씨를 너무 깊게 심으면 공기가 잘 통하지 않아 썩을 수 있어.

씨가 싹 틀 때 온도가 가장 중요해. 온도가 높으면 벌레가 많이 생기고 곰팡이가 잘 자라기 때문에 씨를 심은 후에는 주변 온도를 영하로 낮춰야 해.

비법 2
씨가 싹 트려면 적당한 양의 물과 적당한 온도가 필요하다.

3 시골집에 가면 추수한 옥수수를 매달아 놓은 모습을 볼 수 있습니다. 옥수수를 처마에 매달아 말리면 옥수수차를 만들어 먹을 수 있고, 다음 해에 다시 심을 수도 있습니다. 새로 심을 옥수수를 말려서 보관하는 까닭은 무엇인지 쓰시오.

비법 3
식물의 씨는 보통 일정한 휴면기가 지나야 싹이 틀 수 있다.

4 다음은 비슷한 크기로 자란 식물의 화분에 빛의 세기를 다르게 하여 비췄을 때 만들어지는 산소의 양을 화살표 길이로 나타낸 것입니다. 빛의 세기와 광합성으로 만들어지는 산소의 양은 어떤 관계가 있는지 쓰시오.

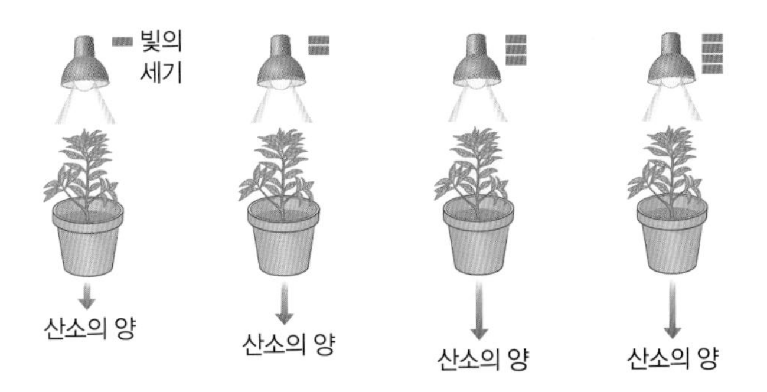

비법 4
식물은 빛을 이용하여 이산화 탄소와 물로부터 양분과 산소를 만드는 광합성을 한다.

창의 서술형 문제

영재고·영재원 선발 대비

5 다음은 달의 환경에 대한 설명입니다. 이 글을 참고로 하여, 달에서 식물을 키울 수 있는 방법을 쓰시오.

달에는 물과 공기가 없다. 그리고 2주 동안은 낮이 계속되고, 2주 동안은 밤이 계속된다. 밤인 기간에 달의 기온은 약 영하 150 ℃까지 떨어진다.

비법 5
식물이 잘 자라려면 적당한 양의 물과 적당한 온도, 빛, 공기 등이 필요하다.

6 벼는 봄에 씨에서 싹 터서 자라고 꽃이 피며 열매를 맺어 새로운 씨를 만드는 한살이 과정을 거칩니다. 우리나라에서는 일 년에 벼농사를 한 번 짓지만, 우리나라보다 기온이 높은 베트남에서는 일 년에 벼농사를 두 번, 세 번 짓기도 합니다. 일 년 동안 벼농사를 짓는 횟수가 다른 까닭을 비교하여 쓰시오.

비법 6
우리나라는 사계절이 뚜렷하고 겨울철 기온이 낮다. 베트남은 일 년 내내 따뜻한 편이다.

정답과 해설 57쪽

7 나무를 가로로 잘라 보면 색깔이 약간 짙은 원형의 테가 중심으로부터 퍼져나가는 나이테를 볼 수 있습니다. 나이테는 계절에 따라 성장 속도가 다르기 때문에 생기는 것입니다. 오른쪽의 나이테를 보고, 이 나무가 살아온 환경을 추측해서 쓰시오.

비법 7
성장 속도가 느리면 나이테의 간격이 좁고, 성장 속도가 빠르면 나이테의 간격이 넓다. 나이테의 상처를 통해 과거에 산불이 일어났거나 병균이나 벌레에 의해 피해가 있었다는 것도 짐작할 수 있다.

8 사군자는 매화, 난초, 국화, 대나무를 일컫는 말로, 각 식물 특유의 장점을 군자(君子), 즉 덕(德)과 학식을 갖춘 사람의 인품에 비유하여 사군자라고 부릅니다. 매화는 이른 봄에 제일 먼저 꽃을 피우고, 난초는 깊은 산에서 은은한 향기를 멀리까지 퍼뜨리고, 국화는 늦은 가을에 첫 추위를 이겨내며 피고, 대나무는 모든 식물의 잎이 떨어진 추운 겨울에도 푸른 잎을 계속 유지합니다. 사군자의 공통점을 한살이 기간과 관련지어 쓰시오.

비법 8
매화는 나무이고, 난초, 국화, 대나무는 풀입니다. 난초, 국화, 대나무는 풀이지만 겨울 동안에도 죽지 않고 살아남는다.

식물을 이용한 바이오 연료(1)

참고 자료 바이오 연료는 식물, 동물, 축산 폐기물, 미생물 등을 분해하거나 발효시켜 만들어낸 연료이다. 바이오 연료는 화석 연료보다 이산화 탄소를 적게 배출해서 미래의 에너지원이라고도 불린다. 대부분의 바이오 연료는 식물로 만들어지고, 바이오 연료 생산을 위해 넓은 면적에 옥수수, 사탕수수, 사탕무 등을 재배한다. 바이오 연료를 찬성하는 사람은 석탄, 석유 등과 같은 화석 연료를 사용하면 공기 중으로 이산화 탄소가 방출되어 지구 온난화를 일으키지만 바이오 연료를 위해 식물을 기르면 식물들이 공기 중의 이산화 탄소를 흡수하여 이산화 탄소 농도에 영향을 미치지 않는다고 주장한다. 그러나 바이오 연료를 반대하는 사람은 바이오 연료를 얻기 위해서는 넓은 재배 면적이 필요하기 때문에 오히려 식량으로 사용될 곡물의 가격이 오르고 식량이 부족해질 수 있으며, 토양 및 수질 오염 등의 환경 문제가 생길 수 있다고 주장한다.

위 자료를 보고, 토론 개요서(요약서)를 작성하시오.

논제

바이오 연료에 대한 자신의 생각과 그렇게 생각한 까닭을 함께 쓰시오.

주장 (찬성)

지구 온난화를 일으키는 화석 연료 대신 바이오 연료의 사용이 확대된다면 지구 온난화를 일으키는 이산화 탄소의 농도를 줄일 수 있을 것입니다.

근거 및 까닭

저는 바이오 연료의 사용을 찬성합니다.
석탄이나 석유 등과 같은 화석 연료는 사용하다보면 고갈이 되지만 바이오 연료는 화석 연료보다는 오랫동안 사용할 수 있습니다. 또한, 바이오 연료를 위해 식물을 많이 심기 때문에 공기 중에 배출되는 이산화 탄소의 양보다 식물에 의해 흡수되는 양이 더 많을 것입니다. 식물을 재배하여 바이오 연료로 사용하고 남은 것은 사람이나 가축의 식량으로 사용할 수 있어 식량 문제도 해결할 수 있습니다.

식물을 이용한 바이오 연료(2)

앞의 자료를 보고, 토론 개요서(요약서)를 작성하시오.

논제	바이오 연료에 대한 자신의 생각과 그렇게 생각한 까닭을 함께 쓰시오.
주장	반대 바이오 연료가 확대된다면 연료로 사용할 식물의 재배 면적이 늘어나게 되고, 식량으로 사용될 곡물의 가격이 오르며, 결국 식량이 부족해질 것입니다.
근거 및 까닭	저는 바이오 연료의 사용을 반대합니다.
상대 의견에 대한 예상 질문	

4 물체의 무게

• 창의 서술형 문제

• 과학 탐구 대회

과학 토론

준비 정확한 물체의 무게(1)

실전 정확한 물체의 무게(2)

5 Kg
5kgx20g
4
1
3
2

창의 서술형 문제

영재고·영재원 선발 대비

1 투명한 유리병에 초파리를 넣고 뚜껑을 닫은 후 병의 무게를 측정하였습니다. 초파리가 유리병 안에서 날고 있거나 유리병 벽에 앉아 있을 때에도 유리병의 전체 무게가 변하지 않았다면, 지구에서 비행기가 하늘을 날아갈 때나 땅에 내려왔을 때 지구의 무게 변화는 어떨지 그렇게 생각한 까닭과 함께 쓰시오.

비법 1
뚜껑을 닫은 유리병의 무게는 병 속 공기와 초파리의 무게가 포함된 것이다.

2 다음은 같은 종류의 양팔저울에 ㉠은 중심으로부터 양쪽으로 같은 거리에 같은 크기의 종이를 매달고, ㉡은 중심으로부터 양쪽으로 같은 거리에 같은 무게의 강철 솜을 매달아 양팔저울의 수평을 잡은 모습입니다. ㉠의 한쪽 종이와 ㉡의 한쪽 강철 솜을 각각 태운다면 양팔저울의 기울기가 어떻게 될지 쓰시오.

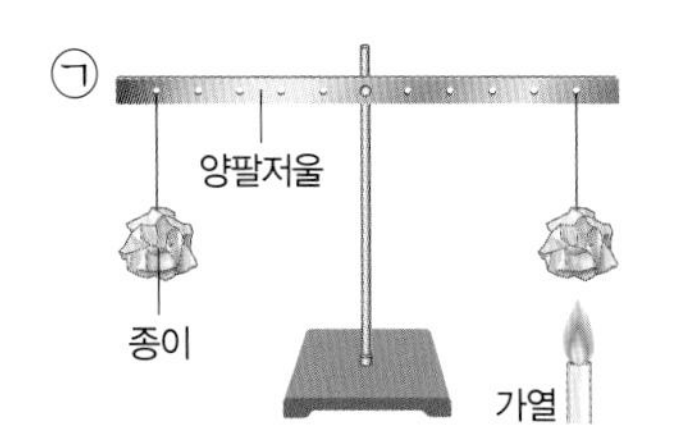

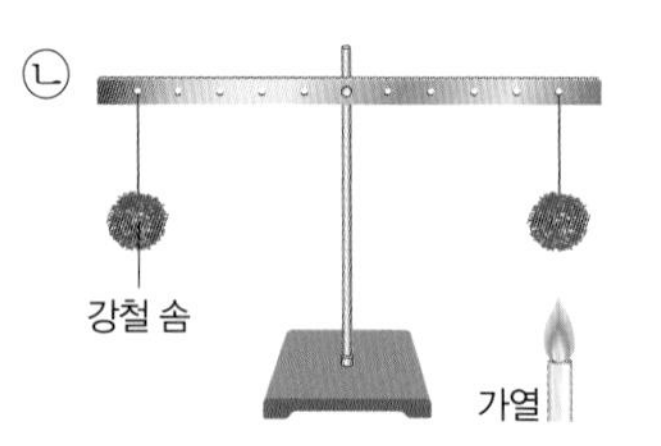

비법 2
종이를 태우면 이산화 탄소가 발생하여 공기 중으로 날아가고, 강철 솜을 태우면 강철 솜과 공기 중의 산소가 결합한다.

정답과 해설 60쪽

3 모양과 크기가 같은 클립 12개 중 11개는 무게가 같고, 나머지는 다른 클립보다 무게가 무겁습니다. 무게가 무거운 클립이 눈으로는 구분이 어려울 때 양팔저울을 세 번 사용하여 무게가 무거운 클립을 찾는 방법을 쓰시오.

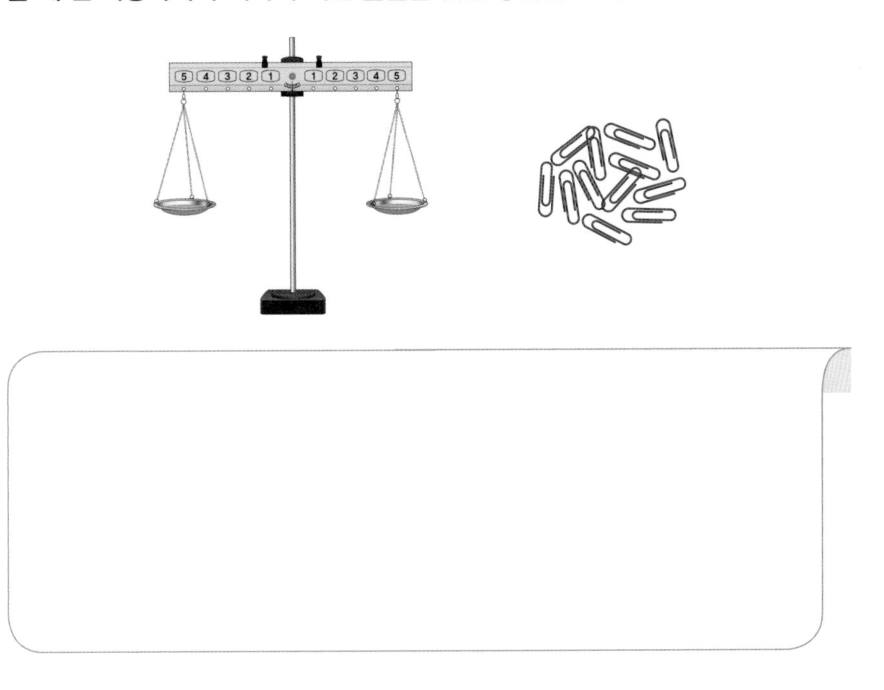

비법 3
클립이 무게가 같고 양팔저울의 저울대가 어느 쪽으로도 기울지 않았다면 한쪽 저울접시와 다른 쪽 저울접시에 올려놓은 클립의 개수가 같을 것이다.

4 건물 공사 현장에서 많이 볼 수 있는 타워 크레인은 갈고리에 건축 자재를 걸어서 운반합니다. 타워 크레인에서 받침점 역할을 하는 운전실과 가까운 짧은 팔 쪽에는 콘크리트로 만든 무거운 추가 있습니다. 무거운 추를 높은 곳에 매달아 두어야 하는 까닭을 쓰시오.

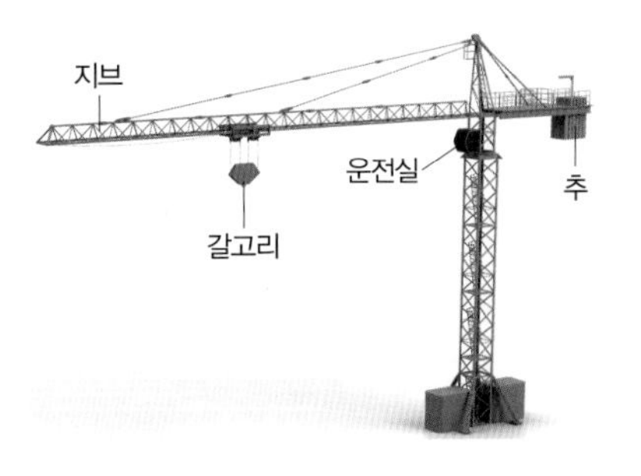

비법 4
타워 크레인은 탑 위에서 축을 중심으로 회전하는 가로 방향 지브의 균형을 맞춰야 한다.

창의 서술형 문제

영재고·영재원 선발 대비

5 지구에서 용수철에 추를 매달았더니 용수철의 길이가 18 cm 늘어났습니다. 같은 추와 용수철을 달에 가져가서 용수철에 추를 매달았을 때 용수철이 늘어난 길이는 몇 cm일지 그렇게 생각한 까닭과 함께 쓰시오. (단, 달에서의 중력은 지구에서의 중력의 $\frac{1}{6}$배입니다.)

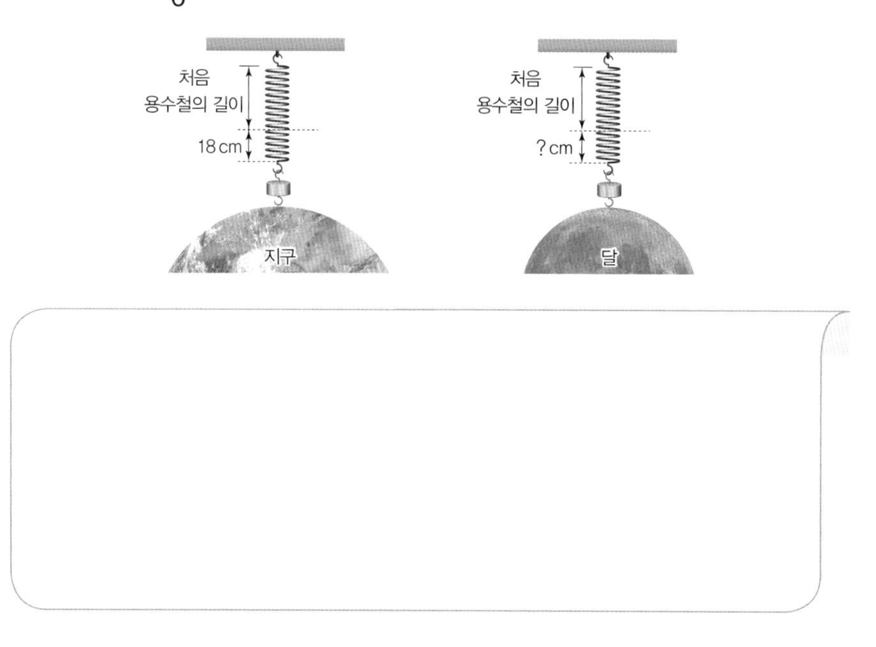

비법 5
같은 물체라도 지구가 물체를 끌어당기는 힘이 달이 물체를 끌어당기는 힘보다 더 크다.

6 용수철저울에 물체를 매달아 물에 서서히 잠기게 하면서 용수철저울의 눈금을 측정하였습니다. 실험에서 같은 물체인데 용수철저울의 표시자가 가리키는 눈금이 점점 작아지는 까닭을 부력과 관련지어 쓰시오.

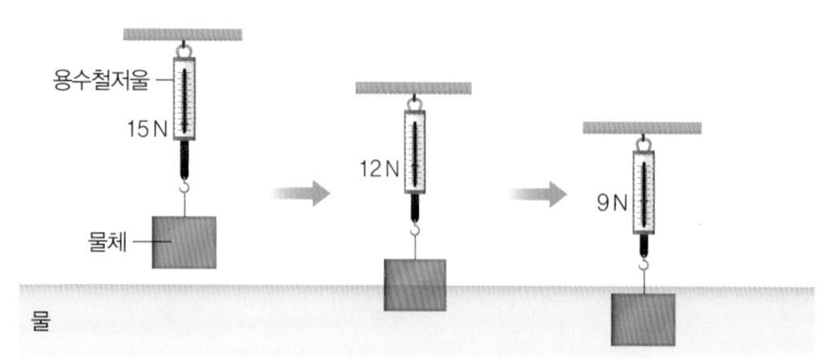

비법 6
기체나 액체가 그 속에 들어 있는 물체를 위쪽으로 밀어 올리는 힘을 부력이라고 한다. 기체나 액체 속에 잠긴 물체의 부피가 클수록 물체에 작용하는 부력의 크기가 커진다.

정답과 해설 60쪽

7 무게가 6 kg중인 철 구슬을 용수철에 매달았더니 용수철의 길이가 3 cm 늘어났습니다. 철 구슬 아래쪽에 자석을 가까이 가져갔더니 용수철이 1 cm 더 늘어났습니다. 용수철의 길이가 4 cm 늘어나게 하려면 처음에 매달았던 철 구슬과 자석 대신 무게가 몇 kg중인 철 구슬을 매달아야 하는지 그 까닭과 함께 쓰시오.

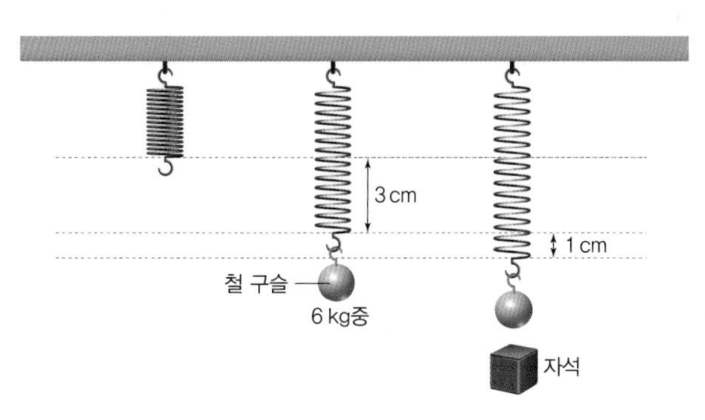

비법 7
용수철에 매단 물체의 무게가 2배, 3배……가 되면 용수철이 늘어난 길이도 2배, 3배……가 된다. 용수철이 늘어난 길이를 측정하여 물체의 무게를 구할 수 있다.

8 다음과 같이 벽에 고정된 용수철에 10 N의 힘을 작용하여 오른쪽으로 잡아당겼습니다. 이때 작용한 탄성력의 방향과 크기에 대해 쓰시오.

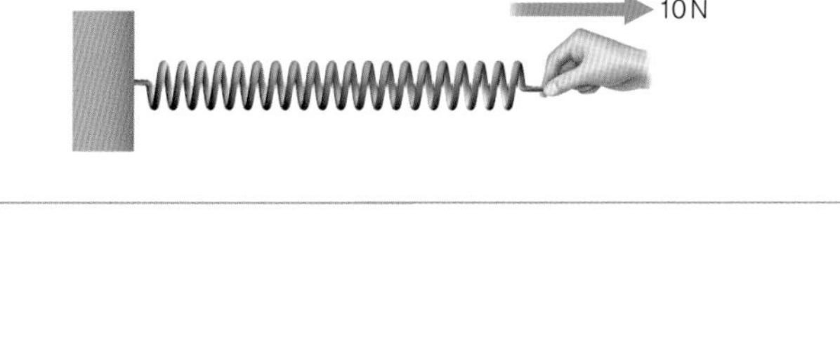

비법 8
탄성은 힘을 받아 변형된 물체가 원래 모양으로 되돌아가려는 성질을 말하며, 변형된 물체가 원래 모양으로 되돌아가려는 힘을 탄성력이라고 한다. 탄성을 가진 물체에 작용한 힘의 크기와 탄성력의 크기는 서로 같다.

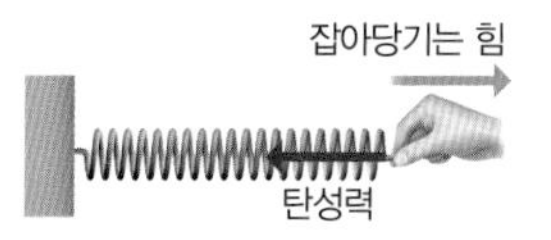

정확한 물체의 무게(1)

참고 자료 물체의 고유한 양인 질량이 같은 금 왕관과 순금을 양팔저울의 양쪽 저울접시에 각각 올려놓았을 때 양팔저울이 수평이 되었다. 이 상태 그대로 양팔저울의 양쪽 저울접시를 물속에 넣었더니 양팔저울이 순금 쪽으로 기울어지는 현상이 나타났다. 이러한 현상이 나타난 까닭은 금 왕관의 부피가 순금보다 더 크기 때문이다. 물체가 물속에 완전히 잠겼을 때 물이 물체를 떠받치는 힘인 부력은 질량에 상관없이 물체의 부피가 클수록 더 커진다.

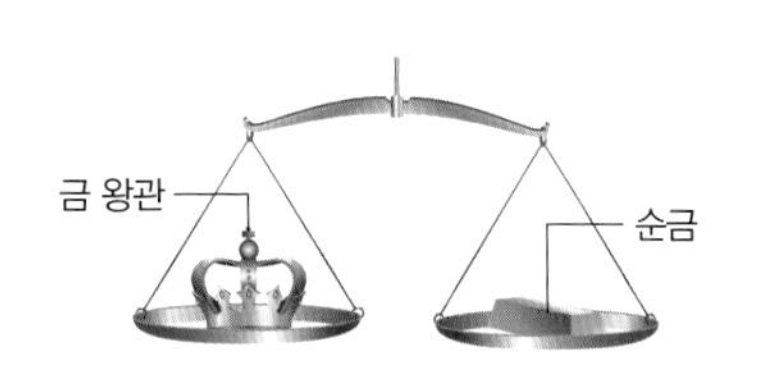

문제 인식 생선의 무게에 따라 가격을 다르게 정할 때 생선 몸속에 무거운 납이나 철 가루를 넣거나 생선의 무게를 재는 저울 위에 다른 물건을 올려 무게를 더 많이 나가게 하는 방법으로 가격을 속이는 사람들이 있다. 생선의 무게를 많이 나가게 하기 위해 어떤 방법을 이용하는지 생각해 보고, 이 문제를 해결할 다양한 창의적인 대안을 생각해 보자.

위 자료를 보고, 토론 개요서(요약서)를 작성하시오.

논제

시장에서 생선의 무게를 더 많이 나가게 하기 위해 이용하는 방법과 그렇게 생각한 까닭을 함께 쓰시오.

주장 및 근거

❶ 생선을 담는 바구니의 무게를 빼지 않고 측정합니다.
바구니를 올리고 저울의 영점을 맞춰야 하는데 영점을 맞춘 후 바구니를 올리면 생선의 무게가 더 무겁게 측정되어 그만큼 가격을 더 받을 수 있기 때문입니다.

❷ 생선의 배 속에 추를 넣어서 무게를 많이 나가게 합니다.
생선의 배 속에 추를 넣으면 겉으로는 보이지 않지만 무게가 실제보다 더 많이 나가게 할 수 있기 때문입니다.

정답과 해설 62쪽

정확한 물체의 무게(2)

앞의 자료를 보고, 토론 개요서(요약서)를 작성하시오.

논제	무게를 속여서 물건을 판매하는 상인이 없어지도록 할 수 있는 창의적인 대안을 작성하시오.
주장 및 근거	
상대의 예상 질문	
예상 질문에 대한 대답	

5 혼합물의 분리

- 창의 서술형 문제
- 과학 탐구 대회

탐구 보고서 준비 바다에 유출된 기름 제거
실전 기름을 흡수하는 머리카락

탐구 보고서
발명품
과학 토론

창의 서술형 문제

영재고·영재원 선발 대비

1 우리 조상들은 키에 곡식을 담아 키질을 하여 쭉정이와 속이 찬 곡식을 분리하였습니다. 키는 어떤 원리를 이용하여 쭉정이와 속이 찬 곡식을 분리하는지 쓰시오.

비법 1
키는 곡식을 담고 흔들어서 속이 빈 쭉정이나 검부러기 등의 불순물을 제거하는 기구이다.

2 어떤 원숭이들은 땅에 떨어진 곡식의 낱알을 손으로 주워 먹을 때 흙과 같이 먹지 않기 위해 얕은 물웅덩이를 이용합니다. 땅에서 주운 낱알을 물웅덩이에 던진 후 다시 주워 먹는 방법입니다. 어떤 원리를 이용한 것인지 쓰고, 생활에서 이와 같은 원리를 이용하는 예를 한 가지 쓰시오.

비법 2
원숭이는 물웅덩이에 던진 낱알이 물속에 가라앉기 전에 재빨리 주워 먹는다.

정답과 해설 63쪽

3 다음은 물과 식용유를 섞은 액체 혼합물을 분리하는 장치입니다. ㉠과 ㉡은 각각 어떤 액체인지 쓰고, 분별 깔때기의 마개를 열고 아래의 꼭지를 열면 어떤 액체부터 아래쪽의 비커에 분리할 수 있는지 함께 쓰시오.

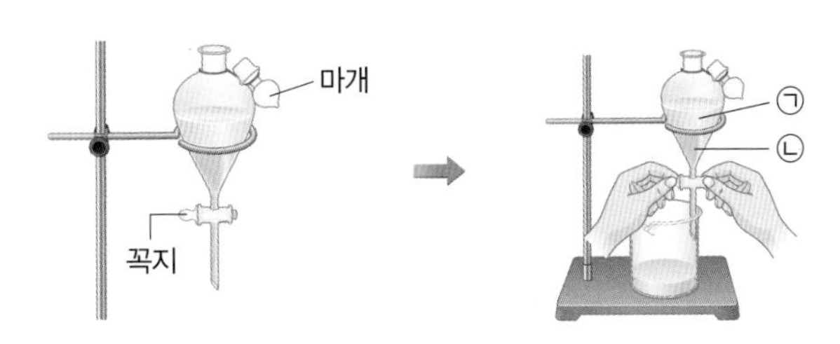

비법 3
서로 섞이지 않는 두 액체 혼합물은 분별 깔때기에 넣고 가만히 두면 두 층으로 분리된다.

4 다음은 두부를 만드는 과정입니다. ㉠~㉤ 중 거름을 이용하여 고체와 액체를 분리하는 과정 두 가지의 기호를 쓰고, 각각 무엇과 무엇을 분리한 것인지 쓰시오.

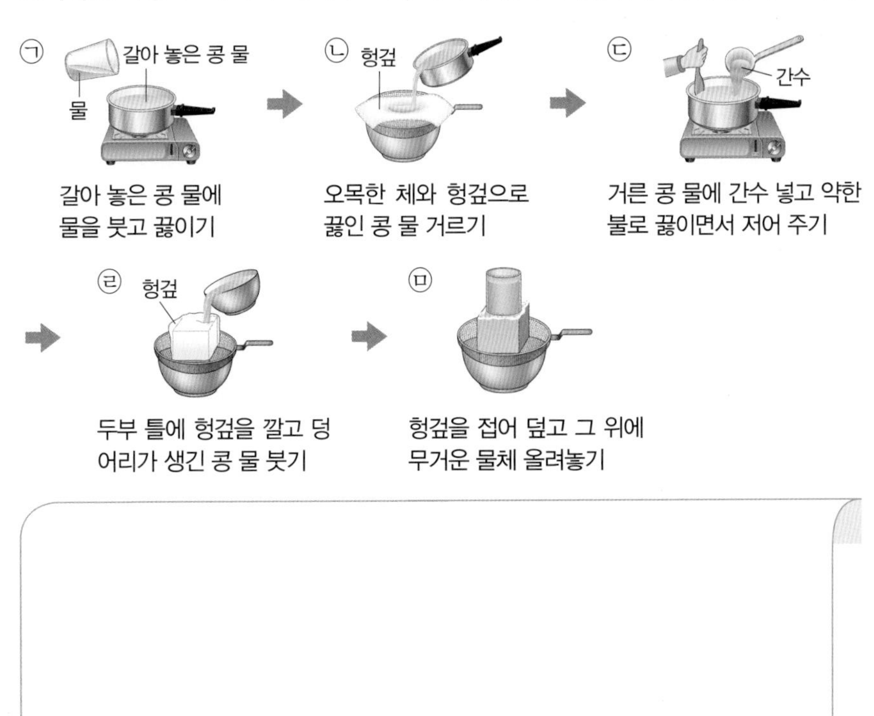

비법 4
헝겊을 사용하면 알갱이의 크기 차이를 이용하여 콩 물과 콩 찌꺼기를 분리할 수 있다.

창의 서술형 문제 영재고·영재원 선발 대비

5 다음은 어떤 두 액체 혼합물을 구성하고 있는 알갱이를 모형으로 나타낸 것입니다. ㉠과 ㉡ 혼합물은 어떤 차이점이 있는지 쓰시오.

㉠ 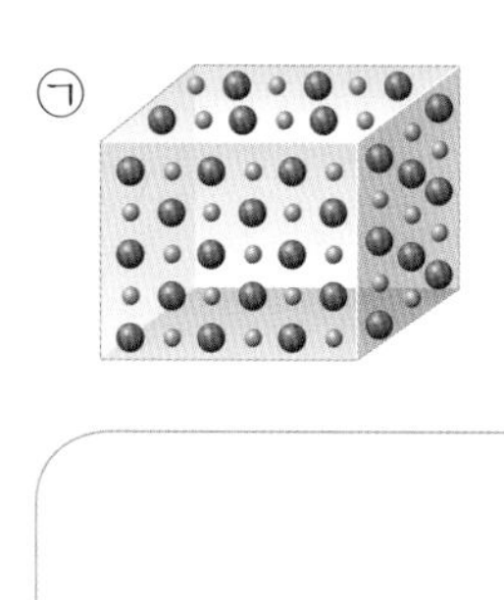

㉡ 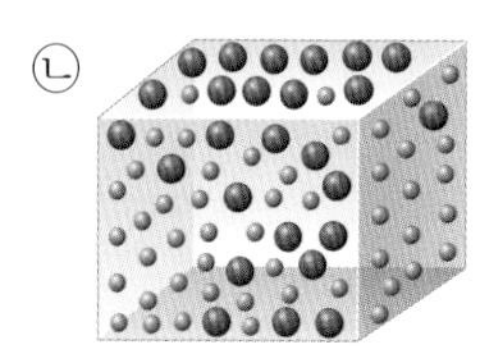

비법 5
균일 혼합물은 두 가지 이상의 순물질이 고르게 섞여 있고, 불균일 혼합물은 두 가지 이상의 순물질이 고르지 않게 섞여 있다.

6 소금물에서 소금을 얻기 위해 소금물이 들어 있는 그릇 안에 작은 컵을 넣고 그릇의 윗부분을 비닐로 씌운 후, 비닐의 가운데에 무거운 돌을 올려놓았습니다. 이러한 장치를 끓이면서 물을 얻을 수 있는 방법을 쓰시오.

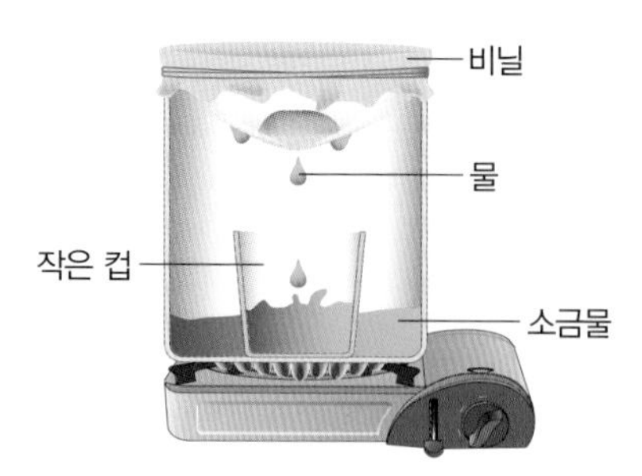

비법 6
소금물을 끓이면 물이 먼저 끓어 증발한다.

정답과 해설 63쪽

7 다음은 사탕수수를 사용하여 설탕을 만드는 과정을 순서 없이 나열한 것입니다. 설탕을 만드는 과정에 맞게 기호를 쓰고, ㉡에서 어떻게 설탕 결정을 분리할 수 있는지 쓰시오.

㉠	㉡	㉢	㉣
사탕수수를 으깬 즙을 걸러 낸다.	차갑게 식혀서 설탕 결정을 만든다.	천천히 가열하여 물을 증발시킨다.	사탕수수를 으깨고 물을 넣는다.

비법 7
사탕수수를 잘게 부순 후 체로 걸러서 설탕 성분이 녹아 있는 액체를 얻는다.

8 다음은 우유의 다양한 변신에 대한 글입니다. 이 글을 읽고, 우유에 섞여 있는 여러 가지 물질을 분리하지 못한다면 우리 생활은 어떻게 달라질지 한 가지 쓰시오.

우유는 일반 우유, 저지방 우유, 칼슘 우유 등으로 다양하게 만들어져 판매된다. 순물질로 보이는 우유도 다양한 물질을 포함한 혼합물이다. 우유에서 지방을 분리하여 만든 것은 생크림과 버터이고, 우유에서 단백질을 분리하여 만든 것은 치즈이다.

생크림

버터

치즈

비법 8
혼합물에 섞여 있는 각각의 물질은 원래의 성질이 변하지 않는다.

바다에 유출된 기름 제거

참고 자료 2007년 유조선과 해상 크레인의 충돌로 유조선에 구멍이 나면서 12,547 kL의 기름이 바다로 흘러 들어간 해양 오염 사고가 발생했다. 이 사고로 태안 앞바다의 굴, 바지락, 전복, 해삼 등을 키우는 수많은 양식장이 피해를 입었으며, 약 150 km의 해안선에 기름띠가 생기고 많은 해수욕장이 오염되었다. 지역 주민들은 약 4조 2000억 원의 손해뿐만 아니라 어지러움나 구토 증상 등과 심각한 병에 걸리는 환자도 많아졌다. 기름 유출 사고는 바다 생물에게도 큰 위협이 되었다. 어류의 아가미에 기름이 달라붙어 물속에서 숨을 쉬기가 어려워져 죽었고, 바닷가에 사는 새들은 깃털에 기름이 묻어 방수와 보온이 되지 않아 체온이 낮아져 죽기도 했다. 물 위에 생긴 기름 막은 물속으로의 산소 교환과 통과하는 햇빛을 막아서 해조류나 식물성 플랑크톤의 광합성을 방해하고, 결국 바다 생태계를 파괴했다.

문제 인식 바다에 기름이 유출되었을 때에는 기름이 더 퍼지지 않도록 유출된 기름 주변에 기름막이(오일펜스)를 설치하고, 흡착포를 이용하여 기름을 제거한다. 기름을 쉽게 제거하는 조건을 참고하여, 바다에 유출된 기름을 제거할 수 있는 탐구 과정을 설계하시오.

탐구 주제 흡착포를 이용한 기름 제거율 연구

● 가설 설정

흡착포를 이용하면 다른 재료보다 더 많은 기름을 제거할 수 있을 것입니다.

● 탐구 과정

① 같은 크기(가로 5 cm × 세로 5 cm)의 흡착포와 천을 준비합니다.
② 200 mL 비커 두 개에 물을 각각 100 mL씩 넣고, 그 위에 기름을 20 mL씩 넣습니다.
③ 집게로 잡은 흡착포를 물과 기름을 넣은 첫 번째 비커에 3초간 담근 후 꺼내어 페트리 접시에 놓습니다.
④ 집게로 잡은 천을 물과 기름을 넣은 두 번째 비커에 3초간 담근 후 꺼내어 페트리 접시에 놓습니다.
⑤ 두 비커의 무게를 측정하여 어떤 재료가 기름을 많이 흡수하였는지 확인합니다.

● 탐구 결과

흡착포가 천보다 같은 시간 동안 더 많은 기름을 흡수하여 흡착포를 넣었던 첫 번째 비커의 무게가 천을 넣었던 두 번째 비커의 무게보다 가볍습니다.

정답과 해설 65쪽

기름을 흡수하는 머리카락

참고 자료 인도양에 있는 모리셔스라는 섬나라 주변 바다를 지나던 배에서 기름이 유출되는 사고가 발생했다. 1000톤이 넘는 기름이 바다로 유출되자 주민들이 머리카락 및 동물의 털까지 모으기 시작했다. 모은 머리카락과 동물의 털은 기름을 빨아들이는 방제 매트로 사용되었다. 영국의 한 대학교에서 머리카락은 무게의 3배가 넘는 기름을 흡수한다는 연구 결과를 발표한 적이 있다. 기름 제거를 위해서는 사탕수수잎, 볏짚, 동물 털 및 합성 섬유로 만든 흡착포까지 다양하게 활용되지만, 사람의 머리카락은 흡착포의 몇 배 이상의 기름을 빨아들이는 효과가 있는 것으로 나타났다.

문제 인식 머리카락, 스타킹, 흡착포를 이용하여 어떤 재료가 무게 대비 기름 흡수를 잘하는지 새로운 방법의 탐구 과정을 설계하시오.

탐구 주제 머리카락의 기름 흡수율 연구

- **가설 설정**

머리카락을 이용하면 다른 재료보다 더 많은 기름을 제거할 수 있을 것입니다.

- **탐구 과정**

- **예상되는 탐구 결과**

2학기

1 식물의 생활

● 창의 서술형 문제

● 과학 탐구 대회

발명품 준비 박주가리 씨를 이용한 발명품

실전 국화쥐손이 씨를 이용한 발명품

탐구 보고서
발명품
과학 토론

창의 서술형 문제

영재고·영재원 선발 대비

1 다음은 민들레와 도꼬마리의 열매에 대해 조사한 것입니다.

민들레	도꼬마리
민들레 열매에는 우산 모양의 털이 달려 있는데, 털 아래쪽에는 씨가 붙어 있다. 이 털은 가벼워서 바람을 타고 잘 날아간다.	도꼬마리 열매에는 끝이 갈고리 모양으로 굽어 있는 가시가 달려 있어서 도꼬마리가 많이 있는 곳을 지나면 옷에 도꼬마리 열매가 붙기도 한다.

위의 조사 내용을 통해 민들레와 도꼬마리 열매의 특징은 두 식물이 살아가는 데 어떤 점이 유리할지 쓰시오.

비법 1
식물은 씨를 퍼뜨려 번식한다.

2 몬스테라(Monstera)라는 식물은 습한 곳에 살며, 잎이 1 m까지 자랄 정도로 크고 군데군데에 구멍이 있습니다. 이처럼 구멍 뚫린 잎은 이 식물이 자라는 데 어떤 점이 유리할지 생각하여 쓰시오.

몬스테라의 잎

비법 2
식물은 그 식물이 사는 곳의 환경에 따라 생김새가 다르다.

3 들이나 산에 사는 식물은 크게 풀과 나무로 구분할 수 있습니다. 나무는 풀보다 키가 크고, 줄기가 굵어 단단한 목질 부분의 부피가 커지면서 나이테가 생깁니다. '대나무'는 이름과는 달리 '풀'로 구분되는데, 그 까닭은 무엇일지 생각하여 쓰시오.

비법 3

- 나이테는 나무를 가로로 잘랐을 때 보이는 짙은 색의 원 모양을 말한다. 계절의 변화에 따른 생장의 차이로 생기기 때문에 보통 1년에 하나의 고리가 생긴다.
- 대나무 줄기는 속이 비어 있어 술, 간장, 기름 등을 담는 통으로 쓰이기도 한다.

4 다음은 연못에 사는 나사말과 부레옥잠의 모습입니다. 부레옥잠에는 볼록하게 부풀어 있는 잎자루가 있는데, 공기주머니로 가득 찬 구조입니다. 만약 나사말에 부레옥잠의 잎자루와 같은 기관이 생긴다면 어떤 영향을 줄지 예상하여 쓰시오.

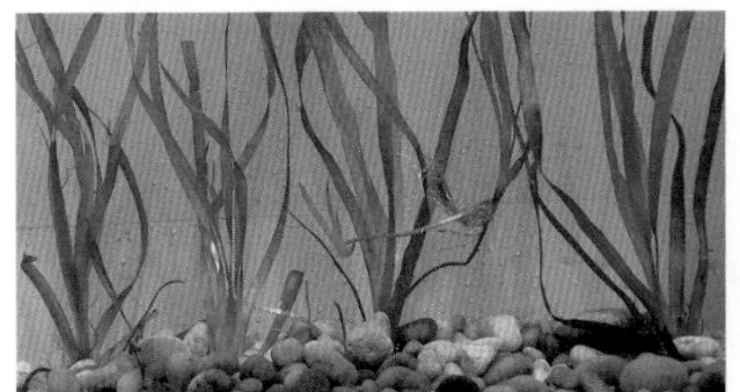

▲ 나사말

▲ 부레옥잠

비법 4

나사말은 물속에 잠겨서 사는 식물이고, 부레옥잠은 물에 떠서 사는 식물이다.

창의 서술형 문제

영재고·영재원 선발 대비

5 수련과 연꽃은 아름다운 꽃을 피워 사람들에게 즐거움을 줍니다. 두 식물은 꽃 모양이 서로 비슷해 구분하기가 쉽지 않습니다. 수련과 연꽃을 구분하는 방법을 잎의 위치와 관련지어 쓰시오.

▲ 수련

▲ 연꽃

비법 5
잎이 물 위에 떠 있는 식물과 잎이 물 위로 높이 자라는 식물이 있다.

6 사막에 사는 바오바브나무는 수명이 길어 수천 년 간 살 수 있고, 다른 나무에 비해 줄기가 매우 굵습니다. 바오바브나무 중에서도 줄기의 굵기가 다른 나무가 있는데, 환경에 적응한 결과입니다. 이처럼 줄기의 굵기가 다른 까닭은 무엇일지 쓰시오.

▲ 길쭉한 바오바브나무

▲ 뚱뚱한 바오바브나무

비법 6
사막도 우기(비가 많이 내리는 시기)와 건기(비가 적게 내리는 시기)가 있어 우기에는 습지가 되는 곳도 있다.

7 선인장이 분포하는 지역은 반건조 지대나 사막 지역, 고산 지역입니다. 하지만 사하라 사막과 같은 완전한 모래사막에서는 선인장을 볼 수가 없습니다. 그 까닭은 무엇일지 쓰시오.

비법 7
선인장은 다른 식물에 비해 적은 양의 물로도 살 수 있다.

8 중국에서는 2018년에 녹색 주택 프로젝트의 하나로, 높이 30층의 아파트 발코니 공간에 식물이 자랄 수 있도록 설계를 했습니다. 하지만 자연친화적 아파트로 쾌적하게 살 수 있을 것이라는 기대와는 달리 식물들이 너무 많이 자라 모기를 비롯한 해충들이 많이 생겨 사람들이 거의 살지 않는 아파트가 되었습니다. 이러한 식물 아파트의 장점을 쓰고, 해충 문제를 해결할 수 있는 방법을 한 가지 쓰시오.

▲ 식물 아파트

비법 8
- 식물은 햇빛을 이용하여 스스로 양분을 만들고 산소를 내보낸다.
- 해충이 싫어하는 향기를 내는 식물을 이용하여 해충 기피제를 만든다.

박주가리 씨를 이용한 발명품

참고 자료 박주가리는 우리나라 전 지역에 분포하여 덩굴로 자라는 여러해살이풀이다. 덩굴의 길이가 약 3 m 내외까지 자라고, 잎은 길이가 5~10 cm, 폭이 3~6 cm 정도이다. 꽃은 길이가 2~5 cm로 옅은 자색이다. 초겨울이 되면 열매가 쪼개지면서 그 속에 있는 털이 달린 씨가 번식을 위해 날아간다. 박주가리 씨가 바람에 날리는 모습은 매우 인상적이다. 박주가리 씨는 명주실과 같은 가는 털이 있어서 바람에 쉽게 날아갈 수 있다.

▲ 박주가리 열매에서 나오는 씨

▲ 박주가리 씨

문제 인식 박주가리 씨를 모방한 발명 아이디어를 만들어 그림을 그리고 설명하시오.

- **발명품 도안**

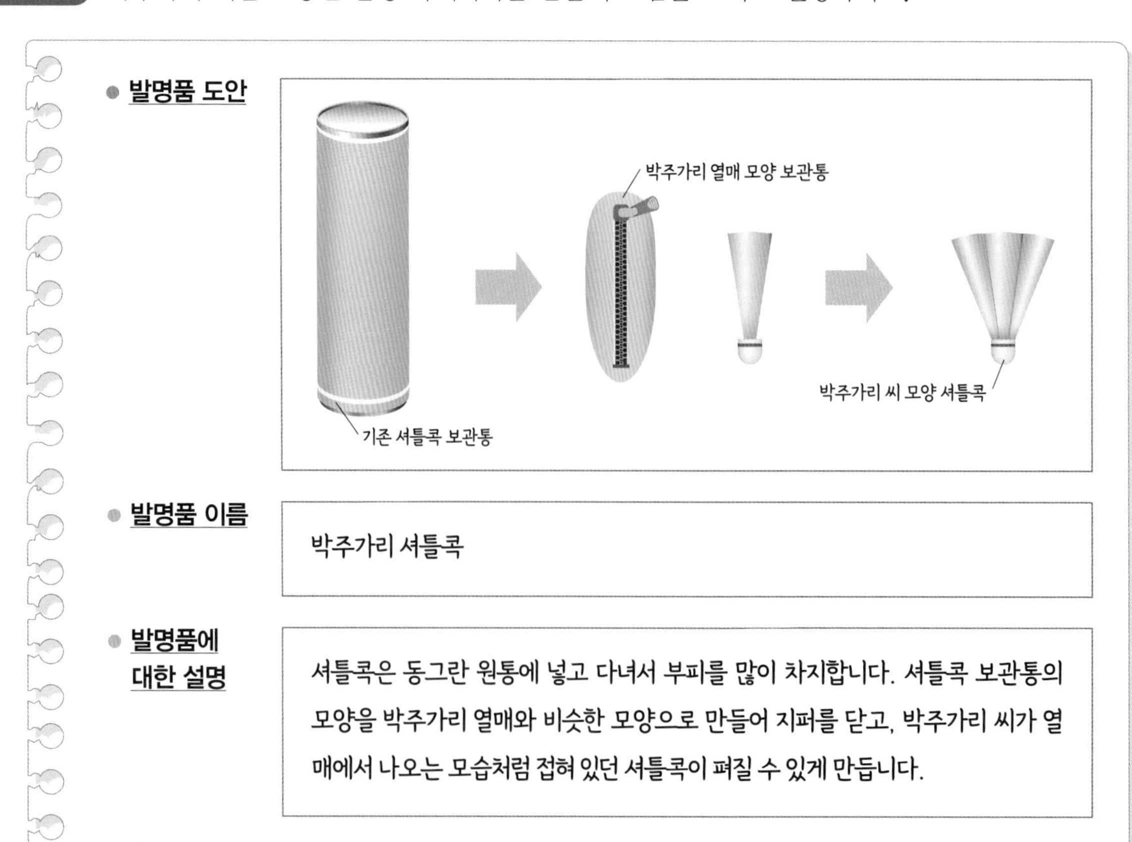

- **발명품 이름**

박주가리 셔틀콕

- **발명품에 대한 설명**

셔틀콕은 동그란 원통에 넣고 다녀서 부피를 많이 차지합니다. 셔틀콕 보관통의 모양을 박주가리 열매와 비슷한 모양으로 만들어 지퍼를 닫고, 박주가리 씨가 열매에서 나오는 모습처럼 접혀 있던 셔틀콕이 펴질 수 있게 만듭니다.

국화쥐손이 씨를 이용한 발명품

참고 자료 국화쥐손이는 우리나라에서 쉽게 볼 수 있는 들꽃이다. 국화쥐손이 씨는 기계 장치와 같이 복잡하게 구성되어 있다. 줄기가 말리면서 씨가 들어 있는 부분이 줄기와 함께 돌돌 말려 올라가다가 탄성에 의해 날아간다. 날아간 씨는 뾰족한 부분이 무거워서 땅에 박히게 되고, 돌돌 말린 부분이 풀리면서 씨를 땅속으로 깊게 심어 준다.

▲ 씨가 들어 있는 부분이 줄기와 함께 돌돌 말린다.

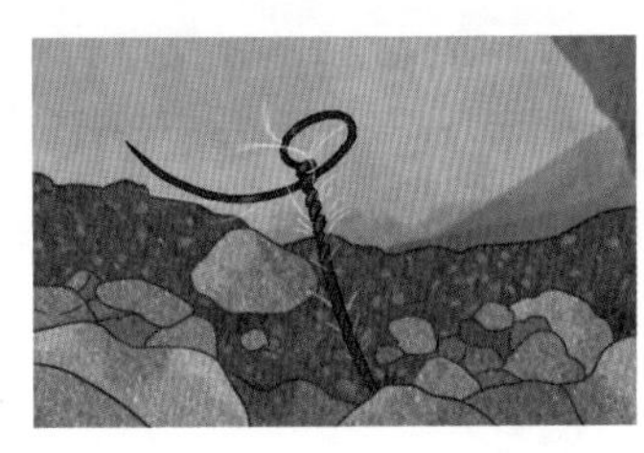
▲ 땅에 씨의 뾰족한 부분이 박힌다.

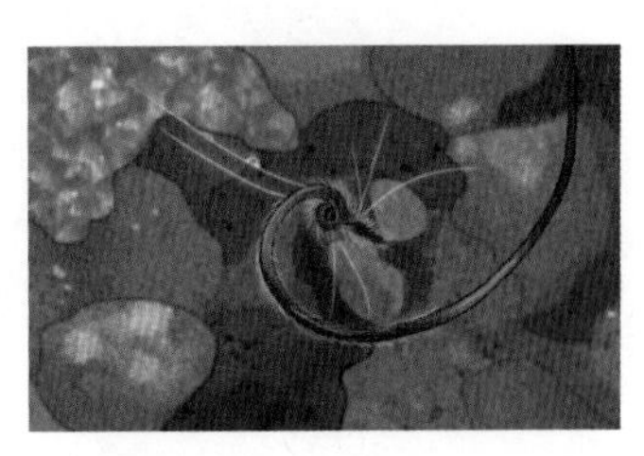
▲ 돌돌 말린 부분이 풀리면서 씨가 땅속으로 박힌다.

문제 인식 국화쥐손이 씨를 모방한 발명 아이디어를 만들어 그림을 그리고 설명하시오.

- **발명품 도안**
- **발명품 이름**
- **발명품에 대한 설명**

2 물의 상태 변화

- 창의 서술형 문제
- 과학 탐구 대회

탐구 보고서
준비 얼음 오래 보관하기
실전 얼음 빨리 녹이기

탐구 보고서
발명품
과학 토론

창의 서술형 문제

영재고·영재원 선발 대비

1 오른쪽과 같이 주전자에 물을 넣고 끓이면 주전자 입구 근처에서 하얀 김이 발생하였다가 잠시 후 사라지는 것을 볼 수 있습니다. 이때 물의 상태가 변화하는 과정을 순서대로 쓰시오.

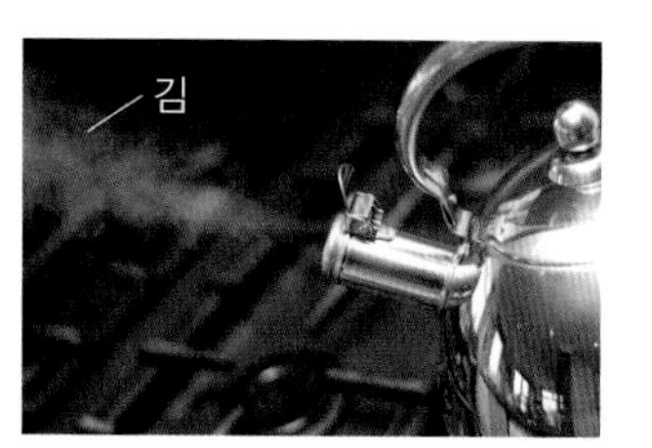

비법 1
액체 상태의 물은 눈에 보이지만, 기체 상태의 수증기는 눈에 보이지 않는다.

2 다음은 라벤더와 같이 향이 나는 식물에서 아로마 오일을 추출하는 과정입니다.

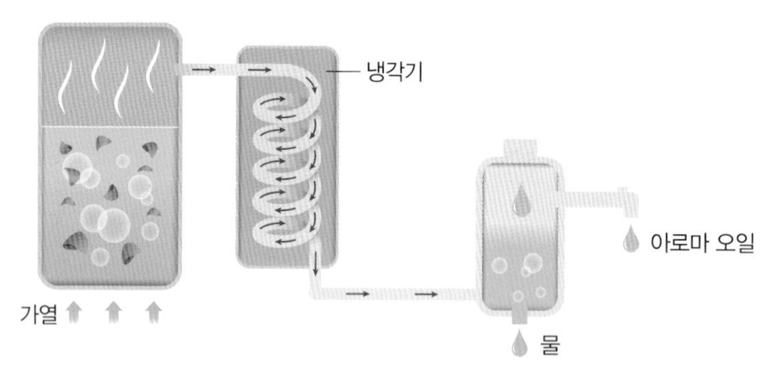

1단계: 물과 식물을 섞어 가열해 식물의 오일 주머니를 터트린다.
2단계: 오일 성분이 수증기와 함께 냉각기 관으로 이동한 후, 통과하면서 액체로 변해 용기에 모아진다.
3단계: 가벼운 오일 성분은 위로, 물 성분은 아래로 분리된다.

위 과정의 어떤 단계에서 어떤 물의 상태 변화가 발생하는지 모두 찾아 쓰시오.

비법 2
냉각기는 기체를 차갑게 식혀 액체로 변화시키는 기계 장치이다.

3 민지는 오늘 학교에 입고 갈 옷이 다 마르지 않아 젖은 옷을 빨리 말리는 방법을 인터넷에서 검색해 보았습니다. 두꺼운 비닐봉지에 젖은 옷을 넣고 헤어드라이어로 뜨거운 바람을 몇 분 정도 불어 넣으면 빨리 마른다고 하는데, 이렇게 하면 젖은 옷이 빨리 마르는 까닭은 무엇인지 쓰시오.

비법 3
의류 건조기는 뜨거운 바람으로 젖은 옷 등에 있는 물기를 말리는 장치이다.

4 오른쪽은 아프리카에서 풀과 비닐을 이용해 물을 얻는 방법입니다. 땅을 파서 구덩이를 만든 후, 그 안에 풀을 넣고 가운데에 그릇을 놓습니다. 위에 비닐을 씌우고 돌멩이로 고정하면 다음날 아침, 그릇 안에 물이 생깁니다. 그릇에 물이 생기는 까닭을 물의 상태 변화와 관련지어 쓰시오.

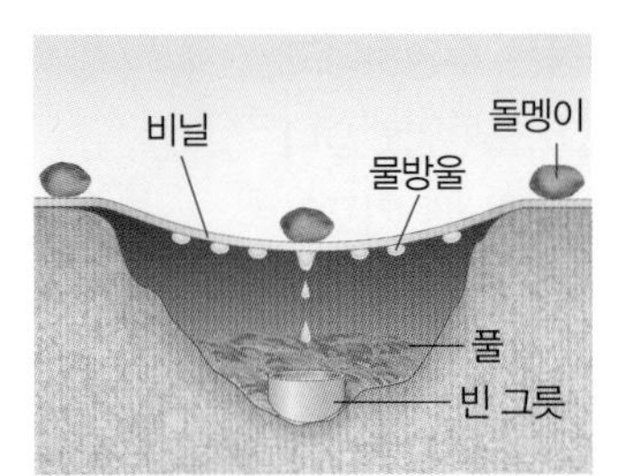

비법 4
- 식물체의 약 80 %는 수분으로 구성되어 있다.
- 아프리카 지역은 낮에는 햇볕이 강해 기온이 높고, 밤에는 기온이 낮아 일교차가 크다.

창의 서술형 문제

영재고·영재원 선발 대비

5 이누이트족은 눈으로 만든 벽돌을 이용해 이글루를 만듭니다. 먼저 눈 벽돌을 돔 형태로 쌓아 집 모양을 만듭니다. 그 다음 집 안에서 불을 피워 이글루 안의 온도를 높인 후 출입문을 열고 이글루 안의 온도를 낮춥니다. 이러한 과정을 반복하여 이글루를 완성합니다. 이글루를 만들 때 이러한 작업을 반복하는 까닭은 무엇인지 물의 상태 변화와 관련지어 쓰시오.

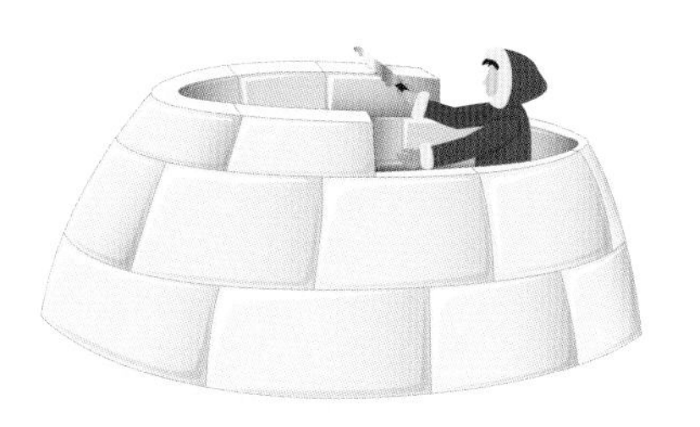

비법 5
이글루는 눈 벽돌 사이에 빈틈이 없어 외부 공기가 들어오지 않아 내부는 따뜻하다.

6 유리는 날씨가 더워 냉동실에서 얼음을 꺼냈습니다. 그런데 과학 시간에 얼음은 투명하다고 배운 것과는 달리 얼음이 하얗고 불투명했습니다. 선생님께 여쭤 보니 물을 얼릴 때 기포가 많이 포함되어 있으면 하얀 얼음이 생긴다고 하셨습니다. 이 사실을 참고하여 집에서 투명한 얼음을 얼리기 위한 방법을 한 가지 쓰시오.

비법 6
물을 가열하면 물속에 녹아 있던 공기가 물의 온도가 올라가면서 물속에 녹아 있지 못하고 공기 방울의 형태로 빠져나간다.

정답과 해설 69쪽

7 오른쪽과 같이 윗접시저울의 양쪽 저울접시에 각각 거름종이를 올려놓은 후 수평을 맞춘 다음, 한쪽에만 물을 떨어뜨렸습니다. 시간이 지나면서 윗접시저울에 나타나는 변화를 그 까닭과 함께 쓰시오.

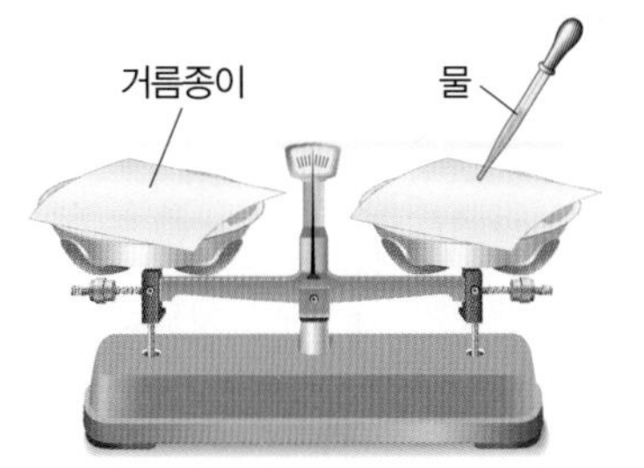

비법 7
윗접시저울은 수평 잡기의 원리를 이용한 저울로, 더 무거운 쪽으로 기울어진다.

8 우진이는 가족들과 얼음낚시를 하러 갔습니다. 꽁꽁 언 강 아래로 물고기들이 헤엄쳐 다니는 것을 보고 어떻게 물고기가 얼지 않고 살 수 있는지 궁금했습니다. '물이 얼어 얼음이 되면 부피가 늘어나지만 무게는 변하지 않는다.'라는 사실을 이용하여 겨울철에 강과 호수가 얼더라도 물고기가 살 수 있는 까닭을 쓰시오.

비법 8
같은 부피의 물과 얼음의 무게를 비교하면 물보다 얼음이 가볍다.

얼음 오래 보관하기

참고 자료 냉장고가 없었던 조선시대에 우리 조상들은 '석빙고'라는 얼음 저장 창고가 있어 여름에도 얼음을 사용할 수 있었다. 돌을 사용하여 외부의 열을 차단한 얼음 창고에는 겨울에 보관했던 얼음이 여름까지 녹지 않았다. 석빙고에 넣을 얼음은 겨울철 하천에서 12 cm 이상의 두께로 채취하여 자르지 않고 그대로 보관하였다.

▲ 석빙고 외부 모습

문제 인식 석빙고에 보관하는 얼음의 조건을 참고하여, 얼음을 오래 보관할 수 있는 방법에 대해 가설을 세워 증명할 수 있는 탐구 과정을 설계하시오.

탐구 주제 얼음을 오래 보관하는 방법에 대한 연구

● **가설 설정**

얼음의 크기가 클수록 얼음이 천천히 녹을 것입니다.

● **탐구 과정**

❶ 플라스틱 컵과 얼음 틀에 각각 물 200 mL를 넣고 완전히 얼립니다.

❷ 하나의 페트리 접시에는 얼음 덩어리를 놓고, 다른 페트리 접시에는 조각 얼음을 놓은 후 실온에 보관합니다.

❸ 5분 간격으로 각 페트리 접시에서 생긴 물을 스포이트로 빼내어 얼음이 녹은 물의 양을 측정합니다.

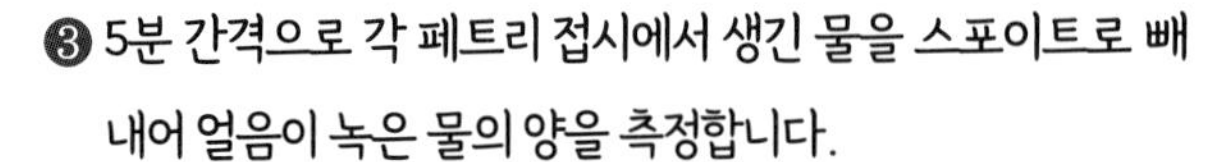

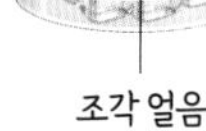

● **탐구 결과**

시간(분)		5	10	15	20
얼음이 녹은 물의 양(mL)	얼음 덩어리	4	9	15	30
	조각 얼음	6	13	23	42

▶ 얼음 덩어리보다 조각 얼음이 담긴 페트리 접시에서 물이 더 많이 생긴 것으로 보아 얼음 덩어리가 조각 얼음보다 더 천천히 녹는다는 것을 알 수 있습니다.

정답과 해설 71쪽

얼음 빨리 녹이기

참고 자료 물이 들어 있는 500 mL 생수병을 꽁꽁 얼린 뒤 해수욕장에 가져갔다. 가는 길에 목이 마를 때마다 물을 조금씩 마셨더니 해수욕장에 도착했을 때까지 얼음은 반도 녹지 않았고, 마실 물은 겨우 목을 축일 정도 밖에 되지 않았다.

문제 인식 생수병에 남아 있는 얼음을 빨리 녹일 수 있는 방법에 대해 가설을 세워 증명할 수 있는 탐구 과정을 설계하시오.

탐구 주제	얼음을 빨리 녹이는 방법에 대한 연구
• 가설 설정	
• 탐구 과정	
• 예상되는 탐구 결과	

2학기

3 그림자와 거울

- 창의 서술형 문제
- 과학 탐구 대회

발명품 준비 햇빛을 끌어오는 거울 장치

실전 외부 풍경을 볼 수 있는 블라인드

탐구 보고서
발명품
과학 토론

창의 서술형 문제

영재고·영재원 선발 대비

1 다음은 가는 실처럼 생긴 유리로, 한쪽 끝에서 보낸 빛이 다른 쪽 끝까지 전달되는 광섬유입니다. 광섬유는 투명한 코어를 클래딩이 둘러싸고 있는 구조이며, 코어 속으로 빛을 비스듬히 보내면 광섬유를 구부려도 빛이 광섬유를 따라 먼 곳까지 전달될 수 있습니다.

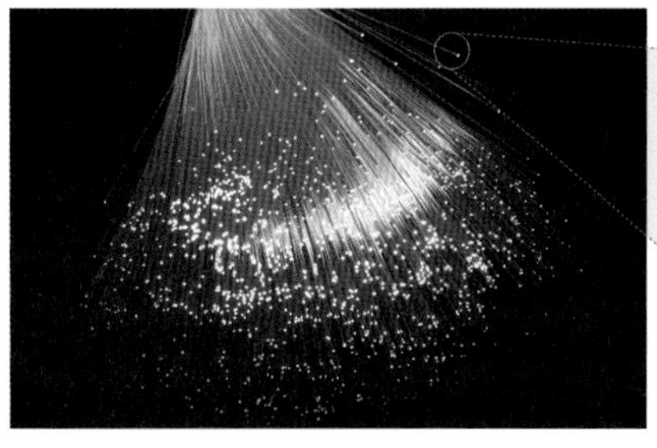

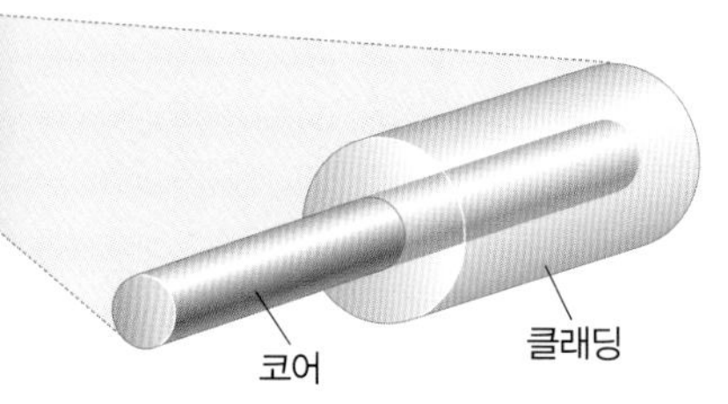

직진하는 성질이 있는 빛이 이렇게 구부러진 광섬유 속에서 막히지 않고 전달될 수 있는 까닭은 무엇인지 쓰고, 빛이 코어 안에서 전달되는 모습을 그려 넣으시오.

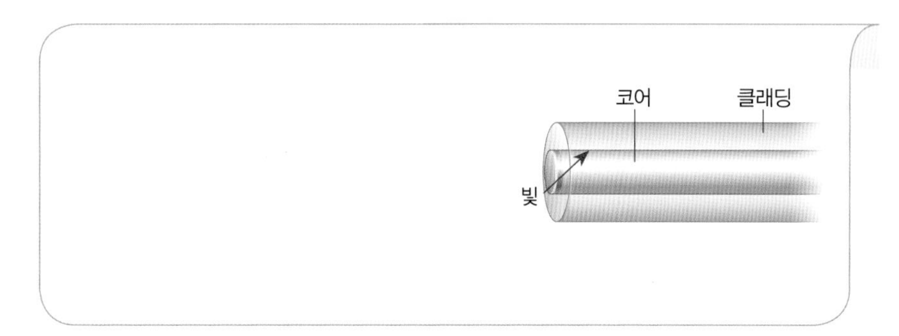

비법 1
광섬유의 코어와 클래딩의 경계면에서 빛의 반사가 일어난다.

2 그림자 아트(shadow art)는 물체만 보았을 때는 전혀 예상할 수 없었던 그림자의 모습이 특정 방향에서 빛을 비추면 그림자 형태가 드러나는 예술 작품을 말합니다. 이러한 그림자 아트는 빛의 어떤 성질을 이용한 것인지 쓰시오.

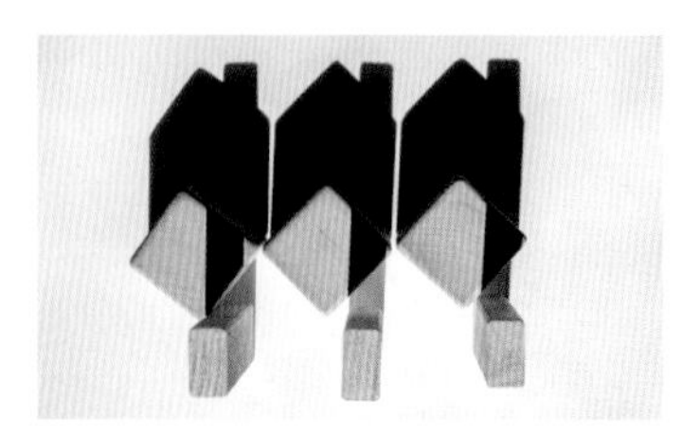

비법 2
그림자는 입체적인 물체를 평면 위에 나타낸 것이기 때문에 물체의 모양과 비슷하지만 그대로 보여지는 것은 아니다. 그림자의 모양은 물체가 놓인 모습과 광원의 방향에 따라 달라진다.

정답과 해설 72쪽

3 다음과 같이 인삼밭에는 검은 차광막이 설치되어 있는 것을 볼 수 있습니다. 그 까닭은 무엇일지 그림자와 관련지어 쓰시오.

비법 3
인삼은 음지 식물로, 강한 햇볕에서는 잘 자라지 못한다.

4 정물화는 과일, 꽃, 화병 등 스스로 움직이지 못하는 물체들을 놓고 그린 그림을 말합니다. 다음 사과를 그린 정물화를 보고 사과를 비추고 있는 광원의 위치로 알맞은 곳의 기호를 쓰고, 그렇게 생각한 까닭을 쓰시오.

㉡

㉠  ㉢

비법 4
그림자는 빛이 곧게 나아가다가 물체를 만나 빛의 일부 또는 전부가 막혀 빛이 도달하지 못하는 곳에 생긴다.

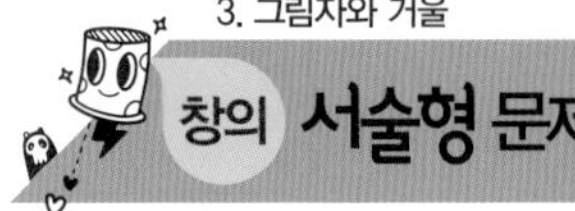

5 다음은 그리스 신화 중 나르키소스에 대한 이야기입니다.

> 나르키소스는 강의 신 케피소스와 요정 리리오페 사이에서 태어난 아들이다. 예언자는 부모에게 나르키소스는 자신의 얼굴을 보면 죽을 것이라고 했다. 부모는 집 안의 모든 거울을 없앴다. 나르키소스는 자신의 얼굴을 보지 못한 채 아름다운 소년으로 자랐다. 어느 날 산속에서 돌아다니다가 목이 말라 샘물로 갔는데, 샘물에 비친 자신의 얼굴을 보고 죽어 꽃이 되었다. 그 꽃의 이름은 수선화이다.

나르키소스가 어떤 원리로 샘물에 비친 자신의 얼굴을 볼 수 있었는지 빛과 관련지어 쓰시오.

비법 5
거울이나 유리처럼 매끄러운 표면에서는 빛이 일정한 방향으로 반사되어 물체의 모습을 잘 비춘다.

6 다음 (가)는 주변에서 쉽게 볼 수 있는 일반 거울입니다. (나)는 거울 두 개를 90°로 붙여 만든 것입니다. (가)와 (나) 거울로 물체를 비춰 보면 각각 어떻게 보이는지 그 까닭과 함께 쓰시오.

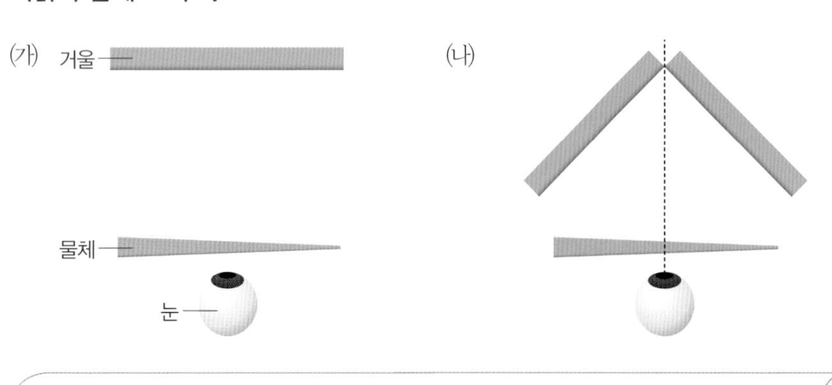

비법 6
거울 두 개를 이용해 만든 잠망경은 첫 번째 거울에서 반사되어 좌우가 바뀐 모습이 두 번째 거울에서 다시 좌우가 바뀌어 원래 물체의 모습 그대로 보인다.

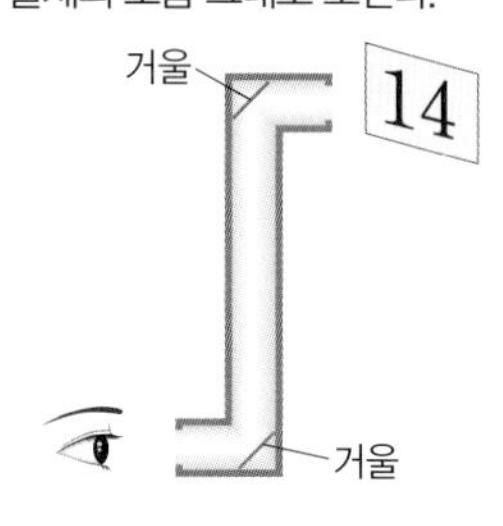

7 빛은 거울에 부딪치면 방향이 바뀌며, 거울의 방향을 바꾸면 빛이 반사되는 방향도 바꿀 수 있습니다. 다음 정사각형 여덟 개로 이루어진 공간에서 3개 이상의 거울을 사용하여 빛이 입구로 들어가 출구로 나가게 하려고 합니다. 최소 몇 개의 거울이 필요한지 쓰고, 아래 그림에 거울의 위치와 빛이 지나가는 길을 그리시오.

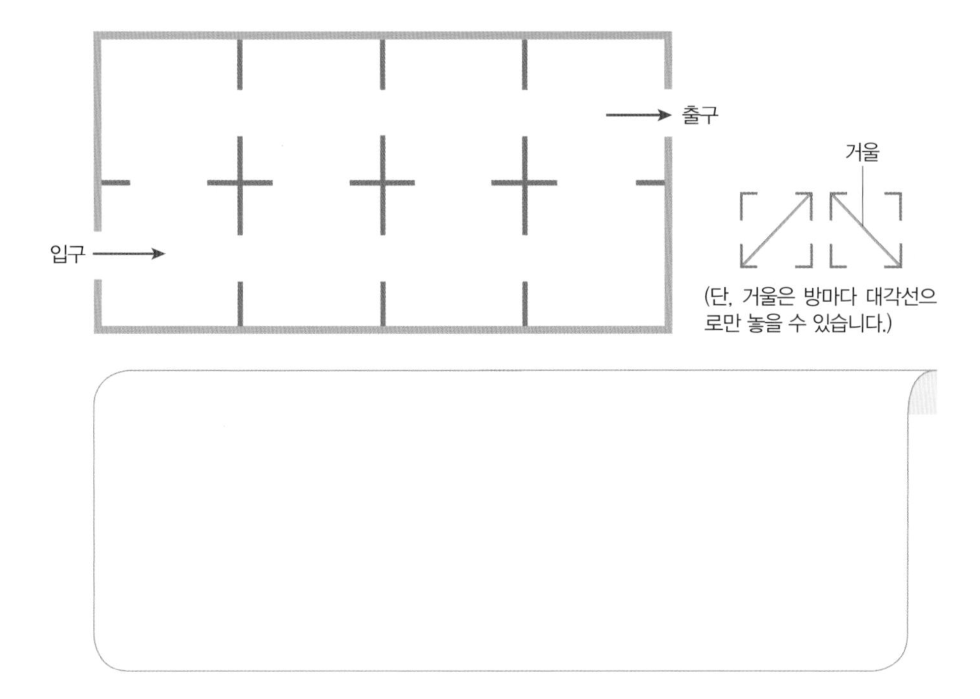

(단, 거울은 방마다 대각선으로만 놓을 수 있습니다.)

비법 7
빛이 반사할 때 빛이 들어가는 각(입사각)과 반사되어 나가는 각(반사각)의 크기가 같다.

법선
입사각
반사각
입사 광선
반사 광선
거울 면

8 자동차의 옆 거울에는 '사물이 거울에 보이는 것보다 가까이 있음'이라는 문구가 적혀 있습니다. 이것은 옆 거울이 볼록 거울로 되어 있어 사물이 작게 보여 실제 거리보다 멀리 있는 것처럼 느껴지기 때문에 운전자에게 주의시키기 위함입니다. 이러한 단점이 있는데 자동차 옆 거울에 볼록 거울을 사용하는 까닭은 무엇일지 쓰시오.

비법 8
볼록 거울은 거울 면이 볼록한 거울로, 물체를 비춰 보면 실제보다 작게 보인다.

햇빛을 끌어오는 거울 장치

참고 자료 다음은 빛의 반사를 이용하여 방 안에 햇빛이 들어오게 하는 장치이다. 창문을 통해 햇빛이 들어오는 곳에 장치를 놓아 두면 빛이 반사되어 방 안쪽까지 햇빛이 들어오게 되고, 시간이 지나 햇빛이 비치는 방향이 바뀌면 거울을 움직여 빛의 방향이 바뀌어도 동일한 곳으로 햇빛이 들어올 수 있게 하는 발명품이다.

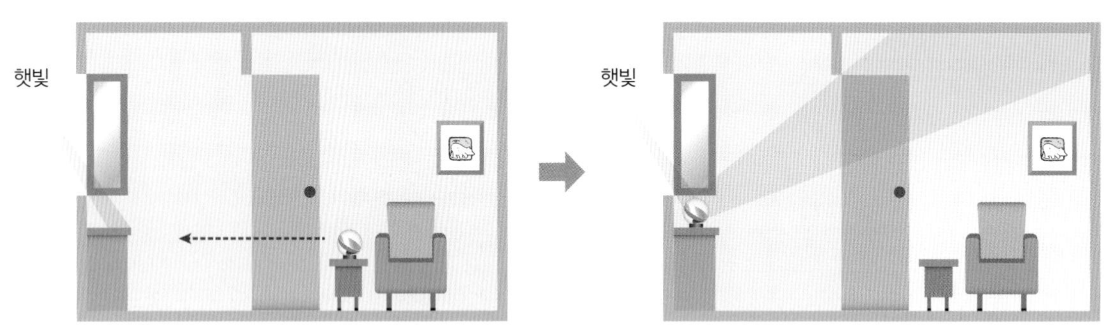

▲ 〈Solenica의 Lucy〉

문제 인식 위 발명품은 전기를 사용하지 않고도 거울만 이용해 다른 방이나 특정 위치(화분 등)에 햇빛을 전달할 수 있는 장점이 있다. 하지만 창문을 통해 방 안쪽으로 햇빛이 들어와야만 사용이 가능하다는 단점이 있다. 이 단점을 개선할 수 있는 아이디어를 그림으로 그리고 설명하시오.

● **발명품 도안**

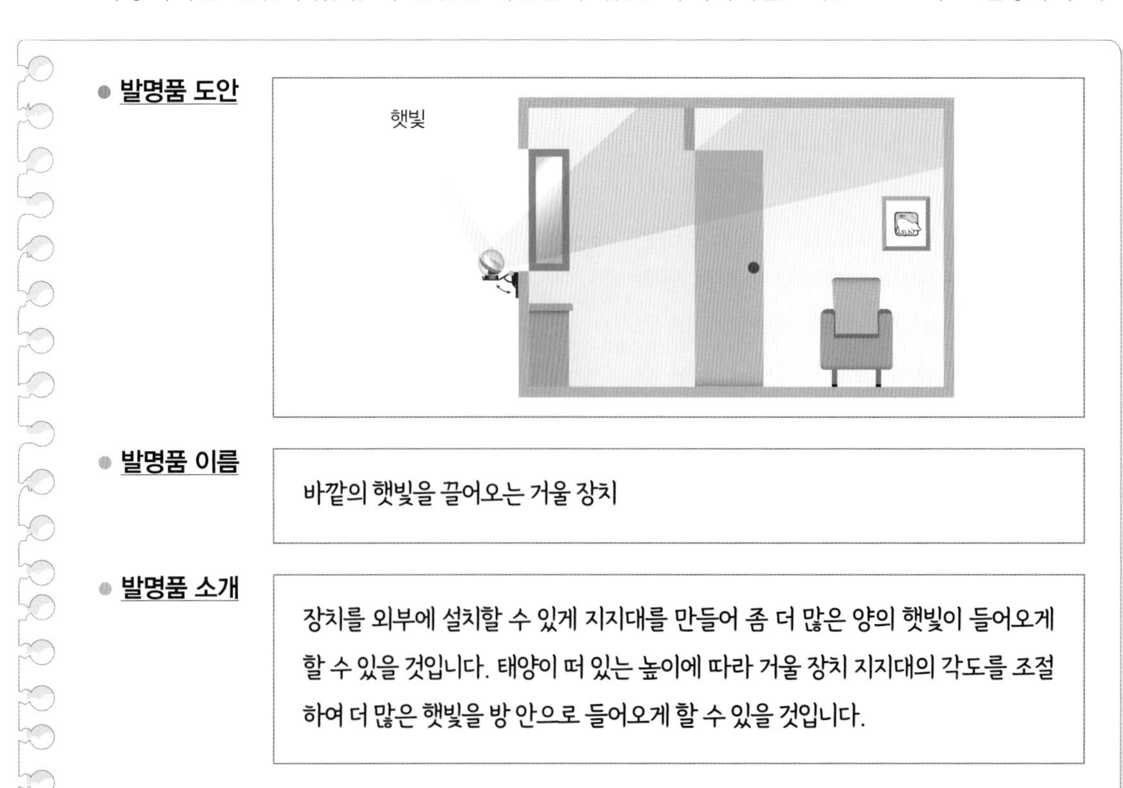

● **발명품 이름**

바깥의 햇빛을 끌어오는 거울 장치

● **발명품 소개**

장치를 외부에 설치할 수 있게 지지대를 만들어 좀 더 많은 양의 햇빛이 들어오게 할 수 있을 것입니다. 태양이 떠 있는 높이에 따라 거울 장치 지지대의 각도를 조절하여 더 많은 햇빛을 방 안으로 들어오게 할 수 있을 것입니다.

정답과 해설 74쪽

외부 풍경을 볼 수 있는 블라인드

참고 자료 집 안에 햇빛이 들어오지 않아서 문제가 되기도 하지만 햇빛이 너무 많이 들어오는 것도 문제가 된다. 블라인드나 커튼과 같이 햇빛을 차단하는 방법은 많이 있다.

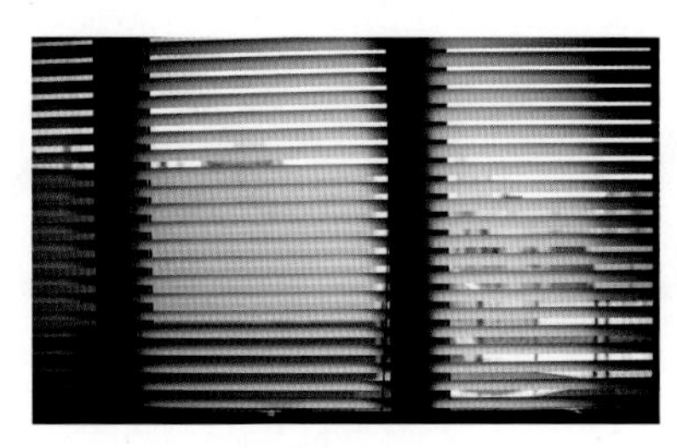
▲ 블라인드

▲ 커튼

문제 인식 창문에 블라인드를 내리거나 커튼을 치면 외부 풍경을 보기 어렵다. 이러한 단점을 개선하면서 햇빛을 가릴 수 있는 창의적인 발명품을 설계하시오.

- **발명품 도안**

- **발명품 이름**

- **발명품 소개**

4 화산과 지진

- 창의 서술형 문제
- 과학 탐구 대회

과학 토론 준비 지진 해일(쓰나미)에 대비하기(1)

실전 지진 해일(쓰나미)에 대비하기(2)

탐구 보고서
발명품
과학 토론

창의 서술형 문제

영재고·영재원 선발 대비

1 지구 내부 구조를 이루는 물질을 연구하는 방법에는 여러 가지가 있습니다. 시추는 땅속을 직접 파 들어가 조사하는 방법으로, 지구 내부를 알아보는 가장 확실한 탐사 방법입니다. 그러나 지구 내부로 갈수록 온도와 압력이 증가하므로 시추를 할 수 있는 깊이에는 한계가 있습니다. 시추 외에 지구 내부 물질을 연구하기 위한 방법에는 어떠한 것이 있을지 화산 활동과 관련지어 쓰시오.

▲ 시추

비법 1
지구 내부 탐사 방법에는 시추, 화산 분출물 조사, 지진파 연구, 운석 연구 등이 있다.

2 화성암은 마그마가 식어 만들어진 암석으로, 암석을 이루는 알갱이의 크기와 암석의 색깔에 따라 종류가 다양합니다. 현무암은 오른쪽 그래프에서 어느 위치에 해당하는지 기호를 쓰고, 그렇게 생각한 까닭을 쓰시오.

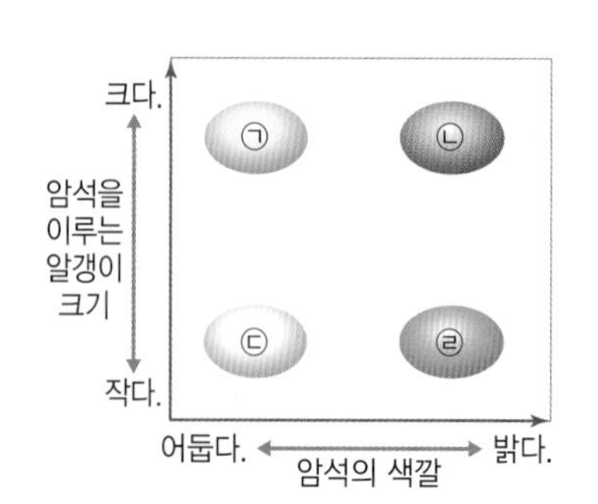

비법 2
화성암을 이루는 알갱이의 크기는 마그마가 식어서 굳는 속도에 따라 결정되며, 암석의 색깔은 암석을 구성하는 광물의 색깔에 따라 결정된다.

3 다음은 화성암의 생성 과정을 알아보기 위한 실험입니다. 스테아르산 가루를 녹여 더운물과 얼음물에 떠 있는 페트리 접시에 부어 식힌 후, 식은 스테아르산 알갱이의 크기를 비교하였습니다. (가)와 (나) 중 화강암의 생성 과정을 나타낸 것을 골라 기호를 쓰고, 그렇게 생각한 까닭을 쓰시오.

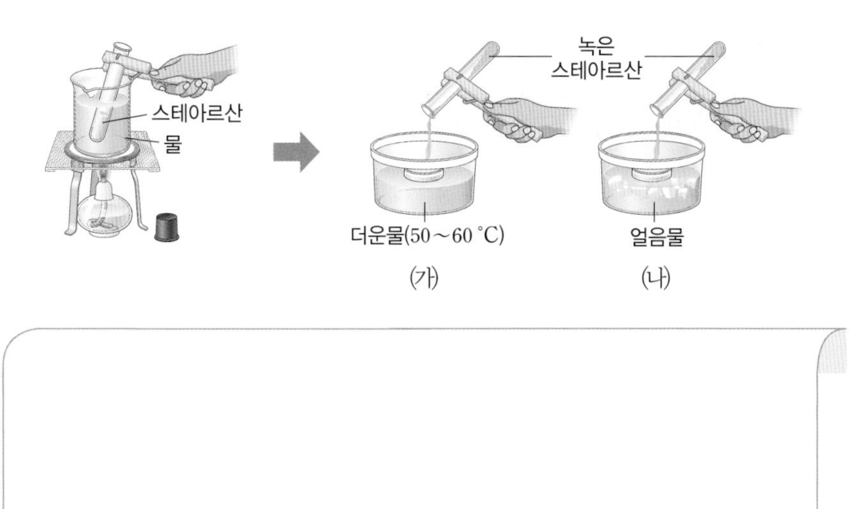

비법 3
더운물에서 천천히 식은 스테아르산은 알갱이의 크기가 크고, 얼음물에서 빠르게 식은 스테아르산은 알갱이의 크기가 작다.

4 다음은 필리핀 피나투보 화산 분출에 대한 설명입니다.

- 피나투보 화산은 1991년 6월, 화산 분출물을 격렬하게 뿜어냈다.
- 많은 양의 화산재가 지표면에서 10 km 이상의 높이까지 도달하여 지구 전체로 확산되었다.

피나투보 화산이 분출한 다음 해에 지구의 평균 기온이 일시적으로 낮아졌습니다. 그 까닭은 무엇일지 화산재와 관련지어 쓰시오.

비법 4
태양 빛을 받아 지구의 온도가 따뜻해진다.

창의 서술형 문제

영재고·영재원 선발 대비

5 지진의 세기는 규모와 진도로 나타낼 수 있습니다. 규모는 지진이 발생한 지점에서 내보내는 에너지의 양을 숫자로 나타낸 것이고, 진도는 지진이 발생했을 때 사람이 느낀 지진의 흔들림 정도, 땅이나 건물의 진동 등을 등급으로 나타낸 것입니다. 다음과 같이 지진이 발생했을 때 (가)와 (나) 관측소에서 측정한 규모와 진도를 비교하여 쓰시오.

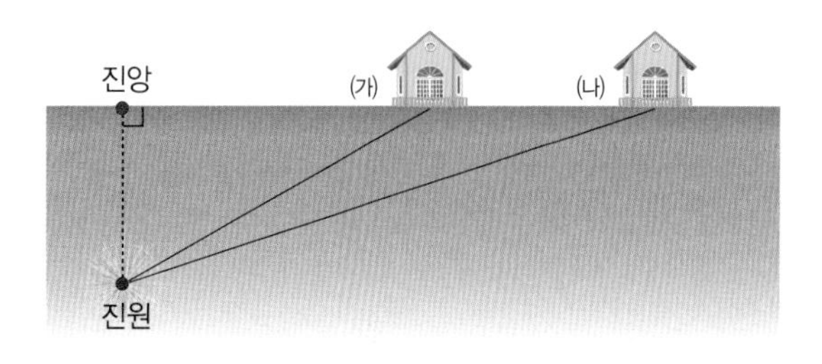

비법 5
진원은 지진이 발생한 지구 내부의 지점이고, 진앙은 진원의 바로 위 지표 상의 지점이다.

6 지진계는 무거운 추와 추를 받치는 지지대, 진동이 기록되는 회전 원통으로 구성되어 있습니다. 지진이 발생하면 추를 제외한 나머지가 땅과 함께 흔들리며 추에 붙어 있는 펜이 기록하게 됩니다. 지진계의 형태가 다음과 같이 두 가지인 까닭은 무엇일지 쓰시오.

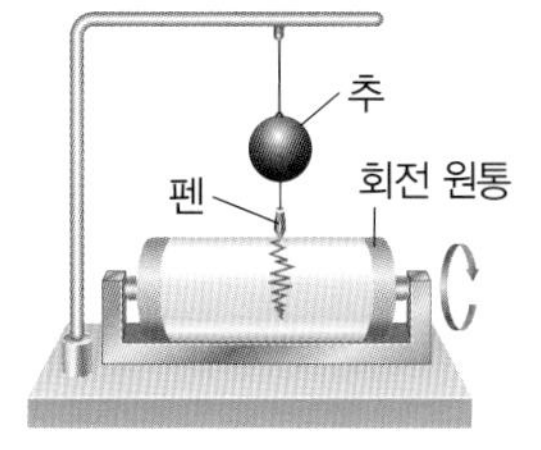

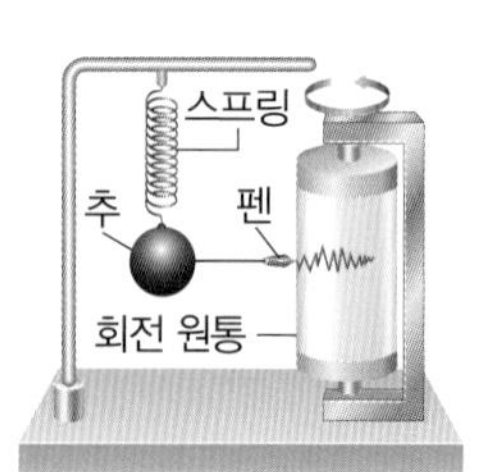

비법 6
- 지진계는 지진에 의한 땅의 흔들림을 기록하기 위한 장치이다.
- 지진이 발생할 때 생긴 땅의 진동이 사방으로 전달되는 것을 지진파라고 하며, 지진파의 진행 방향과 수평 방향인 진동과 수직 방향인 진동이 발생한다.

정답과 해설 **75쪽**

7 2016년에 경주에서 규모 5.8의 큰 지진이 발생하였고, 다음 해에 포항에서 규모 5.4의 지진이 발생하였습니다. 이 지진으로 인해 주민들은 큰 피해를 입었지만, 경주에 있는 문화재의 대부분이 큰 피해를 입지 않았습니다. 경주의 대표적인 문화재인 첨성대의 구조에 대한 설명을 보고, 첨성대가 강한 지진들을 견뎌낼 수 있었던 까닭은 무엇인지 쓰시오.

- 첨성대는 바닥을 1.5 m 이상 깊이 파고 그 안에 자갈과 모래를 채웠다.
- 첨성대는 몸통의 돌을 엇갈리게 쌓아 위쪽으로 올라갈수록 좁아지게 만들었으며, 쌓아 올린 돌은 총 27단으로, 각각의 돌을 서로 고정하지 않았다.

비법 7

- 삼국사기에 따르면 신라시대에 민가가 파손되고 큰 인명 피해가 발생할 정도의 지진이 있었던 것으로 기록되어 있다.
- 경주와 포항의 지진

8 다음과 같이 해저 지진이 발생하면 해수면의 높이가 급격히 변해 지진 해일이 발생합니다. 이때 해안 지역에 있을 경우 대피 방법을 쓰시오.

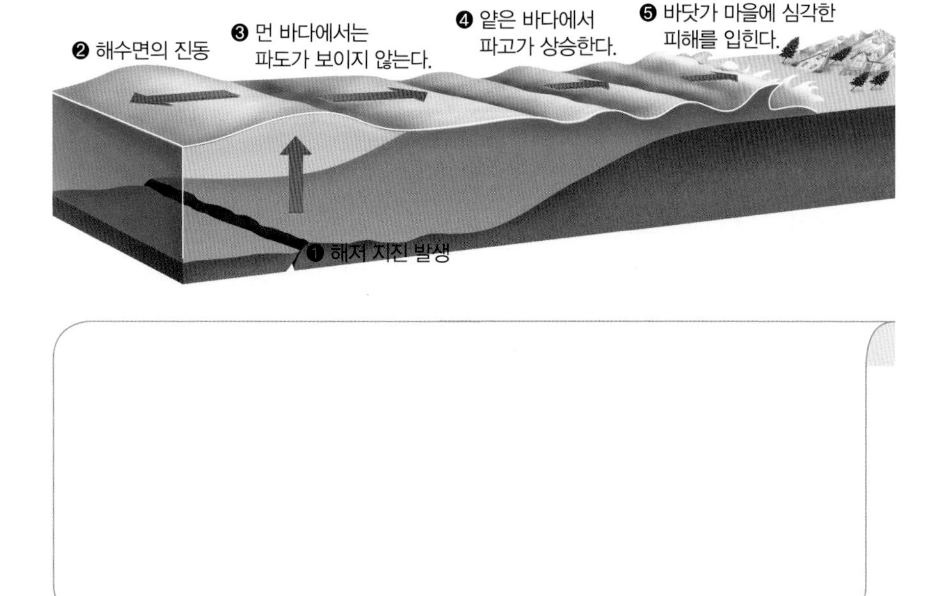

비법 8

지진 해일이 처음 발생했을 때는 파도의 높이가 높지 않지만, 지진 해일이 해안으로 접근하면 파도의 높이가 매우 높아져 해안가 지역에 큰 피해가 발생한다.

과학 토론

지진 해일(쓰나미)에 대비하기(1)

참고 자료 바다에서 지진이 일어나면 바다로 파장이 전달되어 거대한 파도가 육지까지 전달된다. 이를 지진 해일 또는 쓰나미라고 하는데, 해안가에 비정상적인 파도가 도달되는 현상으로 피해가 매우 크다. 가장 유명한 쓰나미의 사례는 2011년에 3월에 발생한 동일본 대지진이 있다. 이 쓰나미로 인한 사망자와 실종자가 2만여 명, 이재민이 33만 명에 이른다.
쓰나미가 발생하기 전에는 물 빠짐 현상이 있다. 쓰나미가 일어나기 전에 해안의 바닷물이 갑자기 빠져나가기도 하는데, 대개 물이 빠지는 속도가 빠를수록 더 큰 규모의 쓰나미가 발생한다. 영국 소녀가 태국에서 쓰나미가 발생했을 당시 부모에게 물 빠짐 현상을 알려 관광객 수백 명을 대피시켜 많은 생명을 살린 일도 있었다.

지진에 의한 피해를 줄이기 위해 지진이 발생했을 때 어떻게 해야 하는지 내가 알고 있는 지식과 자료 검색을 이용하여 쓰시오.

대처하는 방법

1. 지진 재난 문자를 받거나 진동을 느꼈다면 책상 아래로 들어가 책이나 방석 등으로 머리를 보호하고, 책상 다리를 꼭 잡습니다.
2. 지진으로 흔들릴 때는 이동하지 않고, 흔들림이 멈추면 이동합니다.
3. 흔들림이 멈추면 화재에 대비하여 가스와 전기를 차단합니다.
4. 문이나 창문을 열어 언제든 대피할 수 있도록 출구를 확보하고 흔들림이 멈추면 출구를 통해 밖으로 이동합니다.
5. 건물에서 밖으로 이동할 때는 승강기를 타지 말고 계단을 이용하여 대피합니다.
6. 담장, 유리창 등이 파손되어 다칠 수 있으므로 건물과 담장에서 최대한 멀리 떨어집니다.
7. 운동장이나 공원 등 넓은 공간으로 대피합니다.
8. 지진 해일이 발생했을 때 해안가에 있을 경우 높은 지역이나 해안에서 먼 곳으로 대피합니다.

⟳정답과 해설 77쪽

지진 해일(쓰나미)에 대비하기(2)

앞의 자료를 보고, 토론 개요서(요약서)를 작성하시오.

논제	쓰나미에 의한 피해를 줄일 수 있는 창의적인 방법을 구체적인 그림과 글로 표현하시오.
주장 및 근거	
상대의 예상 질문	
예상 질문에 대한 대답	

2학기

5 물의 여행

● 창의 서술형 문제

● 과학 탐구 대회

탐구 보고서 준비 유실되는 물의 양 측정

실전 토양에 따른 물 저장량 측정

탐구 보고서
발명품
과학 토론

창의 서술형 문제

영재고·영재원 선발 대비

1 해무는 바다 위에 끼는 안개로, 우리나라에서는 4~10월에 주로 나타나며 7월에 가장 많이 발생합니다. 이렇게 바다 위에 해무가 발생하는 까닭을 응결과 관련지어 쓰시오.

비법 1
안개, 구름, 이슬 등은 응결로 인해 발생하는 기상 현상이다.

2 물은 우리 생활에서 다양하게 이용됩니다. 다음과 같이 물에 의해 만들어진 다양한 지형을 관광 자원으로 이용하기도 합니다. 이러한 지형이 어떻게 만들어졌을지 생각하여 쓰시오.

비법 2
물에 의한 침식 작용과 퇴적 작용으로 인해 다양한 지형이 만들어진다.

정답과 해설 78쪽

3 화석 연료를 많이 사용하기 시작하면서 대기 중에 이산화 탄소와 같은 온실 기체의 양이 많아져 지구의 평균 기온이 높아지는 현상을 지구 온난화라고 합니다. 지구 온난화가 심해지면 해수면이 상승하는데, 그 까닭은 무엇일지 쓰시오.

비법 3
온실 기체는 대기 중에서 온실 효과를 일으키는 기체로, 대표적으로 이산화 탄소, 메테인, 프레온 가스 등이 있다.

4 다음은 일기예보 중 일부 내용입니다. 강수량을 나타낼 때 보통 물의 양에 사용하는 mL, L 등의 부피 단위를 쓰지 않고, 길이 단위인 mm로 표현한 까닭은 무엇일지 생각하여 쓰시오.

기상청에 따르면 낮부터 밤 사이에 강원 내륙을 중심으로 시간당 50 mm 이상의 매우 강한 소나기가 내린다고 합니다.

비법 4
강수량은 지표면에 떨어진 비, 눈, 우박 등의 양을 말한다.

창의 서술형 문제 영재고·영재원 선발 대비

5 우리는 주로 호수의 물이나 하천수를 활용하고 있으며, 부족하면 지하수를 끌어올려 활용합니다. 지하수는 식수나 농업용수로 많이 이용되며, 냉난방 등에도 이용할 수 있습니다. 이렇게 지하수를 개발하는 것의 장점과 단점을 한 가지씩 쓰시오.

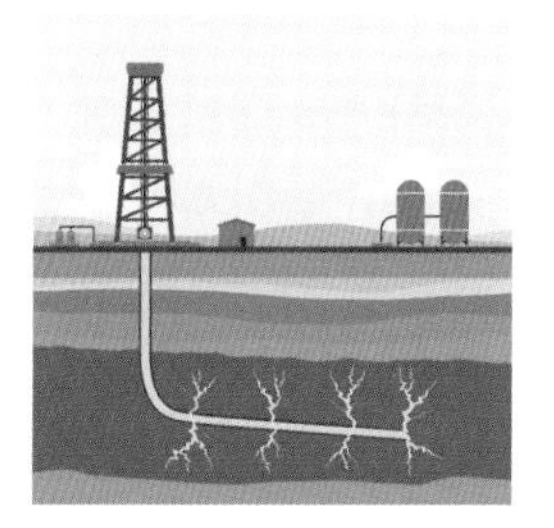

비법 5
지구 상의 물은 해수가 약 97.5 %로 대부분을 차지하며, 담수는 약 2.5 %로 빙하(1.72 %), 지하수(0.75 %), 호수의 물과 하천수(0.03 %) 형태이다.

6 다음과 같이 물이 들어 있는 비커 위에 얼음이 담긴 접시를 올려놓고 가열한 후 접시의 아래쪽에 푸른색 염화 코발트 종이를 대어 보았습니다. 푸른색 염화 코발트 종이에 나타나는 변화를 쓰고, 그 까닭을 쓰시오.

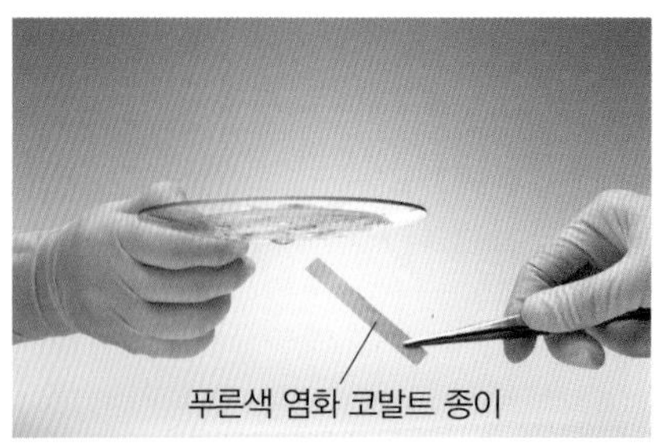

비법 6
푸른색 염화 코발트 종이는 물과 만나면 붉은색으로 변하는 성질이 있다.

정답과 해설 78쪽

7 물은 우주에서도 중요한 물질입니다. 우주에서 물은 마시거나 씻는 데 이용할 뿐만 아니라 숨 쉴 때 필요한 산소를 만드는 데에도 이용됩니다. 우주에서 오래 생활해야 하는 국제 우주 정거장에서는 우주 비행사들이 가능한 물을 적게 이용합니다. 더러워진 물은 정수 장치를 이용해 깨끗하게 만들어 다시 이용하는데, 우주 비행사들의 땀과 오줌까지도 정수하여 이용합니다. 이렇게 우주에서 물을 아껴 써야 하는 까닭은 무엇인지 쓰시오.

비법 7
지구에는 물과 공기가 있어 생물이 살 수 있다.

8 식물을 심은 작은 플라스틱 컵을 물과 얼음이 담긴 투명한 플라스틱 컵에 넣고, 다른 투명한 플라스틱 컵을 거꾸로 올려 컵과 컵 사이를 셀로판테이프로 붙였습니다. 햇빛이 잘 드는 창가에 플라스틱 컵을 3~4일 두고 컵 안에서 일어나는 변화를 관찰하였습니다. 컵 안의 식물에 물을 주지 않아도 살 수 있는 까닭은 무엇인지 쓰시오.

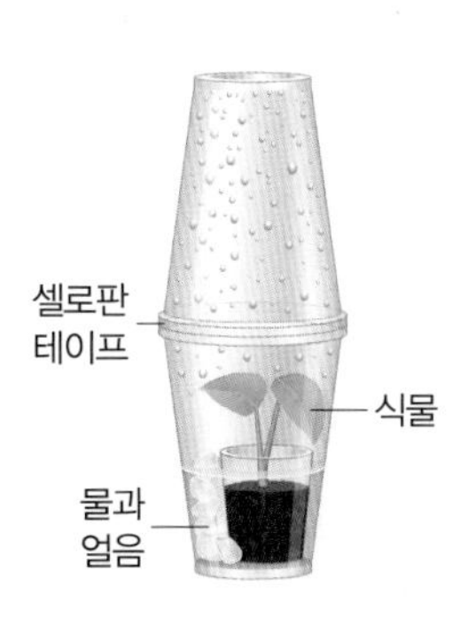

비법 8
물의 상태가 변하면서 지구의 여러 곳을 끊임없이 돌고 도는 것을 물의 순환이라고 한다. 물은 순환하지만 지구 전체 물의 양은 변하지 않는다.

유실되는 물의 양 측정

참고 자료 우리나라에 비, 눈 등으로 떨어지는 물은 1년에 약 1,240억 m^3이지만, 이 중 약 900억 m^3가 증발되거나 바다로 유실되고 340억 m^3 정도만 댐이나 하천을 통해 이용할 수 있는 물로 전환된다. 우리나라가 도시화되면서 유실되는 물의 양은 증가하였으며, 바다로 흘러가는 양이 더 많아졌다. 도시화와 유실되는 물의 양이 어떤 관계가 있는지 실험을 통해 확인해 보고자 한다.

문제 인식 바닥의 종류에 따라 물이 유실되는 양을 측정해 보자.

탐구 주제 바닥 종류에 따라 유실되는 물의 양

● 가설 설정

식물이 살고 있는 바닥에서 물의 유실량이 적을 것입니다.

● 탐구 과정

❶ 다양한 종류의 바닥 재료를 준비합니다. (이끼가 있는 흙, 모래, 흙, 벽돌, 자갈)
❷ 물이 흘러 내려가도록 장치를 만듭니다.
❸ 상자에 한 가지 바닥 재료를 넣어 빈틈없이 채웁니다.
❹ 물 1L를 흘려보내고, 5분 동안 빠져나오는 물을 받습니다.
❺ 받은 물을 거름종이로 걸러서 이물질을 제거한 뒤 물의 양을 측정합니다.
❻ 다양한 바닥 재료로 ❸~❺의 과정으로 실험을 진행합니다.

● 탐구 결과

구분	이끼가 있는 흙	모래	흙	벽돌	자갈
유실량(mL)	600	900	680	990	950

▶ 이끼가 있는 흙에 물을 흘려보냈을 때 물이 가장 적게 빠져나간 것으로 보아 식물이 있는 흙에서 물의 유실이 가장 적게 일어난다는 것을 알 수 있습니다.

유실되는 물의 양을 줄이기 위해서는 어떻게 해야 하는지 탐구 결과를 통해 설명해 보자.

유실되는 물의 양을 줄이기 위해서는 벽돌이나 자갈이 깔려 있는 도로를 식물이나 흙으로 바꾸어 물이 유실되지 않고 땅속으로 스며들어 지하수가 될 수 있도록 합니다.

토양에 따른 물 저장량 측정

참고 자료 비가 내리면 표면으로 흐르는 물이 땅속으로 스며들어 토양에 저장되기도 한다. 저장되는 물은 아래로 내려가 지하수가 되기도 하고, 식물에 흡수되기도 한다.

문제 인식 토양의 종류에 따른 물 저장량을 비교하는 실험을 설계하시오.

탐구 주제 토양의 종류에 따른 물 저장량

- **준비물**

토양A(마사토), 토양B(모래), 토양C(화단 흙), 종이컵, 비커, 눈금실린더, 스탠드, 거름종이, 물뿌리개, 고무줄

- **같게 해 주어야 할 조건**

- **탐구 과정**

Where there is a will,
there is a way.